KB077135

〈러시아 여행기 3부: 모스크바〉

동화 속의 아름다움을 꿈꾸며

〈러시아 여행기 3부: 모스크바 〉

동화 속의 아름다움을 꿈꾸며

발　행 | 2019년 5월 27일

저　자 | 송근원

펴낸이 | 한건희

펴낸곳 | 주식회사 부크크

출판사등록 | 2014.07.15.(제2014-16호)

주　소 | 서울특별시.금천구.가산디지털1로.119.SK트윈테크타워.A동.305호

전　화 | 1670-8316

이메일 | info@bookk.co.kr

ISBN | 979-11-272-7379-8

www.bookk.co.kr

머리말

이 책은 〈러시아 여행기 1부: 아시아 편〉과 〈러시아 여행기 2부: 쌍 빼쩨르부르그 / 황금의 고리〉에 이어 모스크바에서 꼭 보아야 할 이곳저곳 등을 여행한 기록이다.

〈러시아 여행기 1부: 아시아 편〉는 동해에서 배를 타고 블라디보스토크로, 그리고 그곳에서 시베리아 횡단열차를 타고 하바로프스크, 울란우데, 이르쿠추크, 바이칼, 크라스노야르스크, 노보시비르스크 옴스크, 페름을 거쳐 모스크바까지 17박 18일 동안 여행한 기록이고, 〈러시아 여행기 2부: 쌍 빼쩨르부르그 / 황금의 고리〉는 도시 자체가 하나의 예술품인 쌍 빼쩨르부르그와 화려한 여름궁전으로 유명한 뻬떼르고프, 그리고 모스크바를 둘러싼 황금의 고리를 구성하는 도시들인 세르기예프 보사드, 아브람체보, 로스토프, 야로슬라블 등을 방문한 기록이다.

만약 시베리아의 도시들과 바이칼 등에 관심이 있으신 분들에게는 〈러시아 여행기 1부 아시아편: 시베리아를 횡단하며〉를 권하며, 러시아의 문화와 예술에 관심이 많으신 분들과 모스크바 근교 황금의 고리를 구성하는 도시들에 관심이 있는 분들에게는 〈러시아 여행기 2부: 쌍 빼쩨르부르그 / 황금의 고리〉를 참고하시어 쌍 빼쩨르부르그, 뻬떼르고프, 세르기예프 보사드, 아브람체보, 로스토프, 야로슬라블 등을 방문하시길 권한다.

한편 이 책 〈러시아 여행기 3부:〉는 모스크바에서 꼭 가 봐야 할 이곳저곳을 방문한 기록이므로 모스크바를 관광하시는 분들을 위해 쓴 책이라 할 수 있다.

모스크바에서는 중심가에 있는 붉은 광장, 구세주 그리스도 성당, 구 아르바뜨 거리 등은 물론이고, 모스크바 전철로 갈 수 있는 노보데비치 수도원, 이즈마일롭스키 벼룩시장, 꼴로멘스꼬예 공원과 알렉세이 궁전, 모스크바 대학과 참새 언덕, 소콜니키 공원, 돈스코이 수도원, 오스탄키노 러시아박람회장, 짜리쯔이노 궁전 등을 본격적으로 돌아보았다.

이 가운데 이즈마일롭스키 벼룩시장, 꼴로멘스꼬예 공원과 알렉세이 궁전, 오스탄키노 러시아박람회장, 짜리쯔이노 궁전 등은 시간이 없더라도 반드시 방문해보시길 권한다.

이즈마일롭스키 벼룩시장은 없는 게 없는 모든 물품들을 아주 싸게 살 수 있는 곳이지만, 그보다도 이곳에 지어놓은 목조 건물들은 정말 동화 속의 나라에 온 듯한 느낌을 주는 곳이다. 러시아에서 제일 아름다운 목조 건축물들이 모여 있는 곳이라고 생각한다.

또한 꼴로맨스꼬예 공원 안의 알렉세이 궁전은 표토르 대제가 어린 시절 생활하던 곳으로서 지금은 박물관으로 쓰이는데, 역시 동화 속의 나라에 있는 듯한 궁전이다. 겉에서 이들 궁전 건물만 봐도 가슴이 뛰는 아름다운 건물들, 말로 표현하기 어렵다, 꼭 가보시라.

오스탄키노 러시아박람회장은 옛날 박람회가 열렸던 곳으로 박람회장 안의 건물들과 분수 등을 끼고 그냥 소풍만 한다고 해도 좋은 곳이다. 특히 입구 초입의 우주관은 꼭 들르시기를 권한다.

짜리쯔이노 궁전은 러시아의 여걸, 예카테리나 2세와 관련된 유물들과 현대 미술품들이 볼 만한 곳이지만, 궁전 내부 자체가 화려하고 아름답기로도 유명하다.

예카테리나 2세는 재위기간 동안 러시아의 황금기를 구가한 여제로서 칭송받는데, 그 치적만큼이나 남성 편력도 많은 여인으로 이 여제의 정부(情夫)로 봉사했던 시종들과 남편인 표토르 3세의 초상 등이 남아 있다.

이 궁전은 예카테리나 여제가 호화롭게 지으라고 명령했으나, 이 여제가 죽은 다음에 완성되었기에 들어가 살지는 못했다는 궁전이다.

만약 그림이나 조각 등 미술에 관심이 많으신 분들에게는 짜리쯔이노 궁전과 함께 모스크바 교외에 있는 아르한겔스코예 궁전도 꼭 방문해 보셨으면 한다.

한편 모스크바 시내에선 노보데비치 수도원과 돈스코이 수도원도 볼 만하고, 모스크바 대학에 들렀다가 참새 언덕에서 맥주를 한 잔 하며 낭만을 즐기거나, 모스크바 강 유람선을 타고 강 주변의 아름다운 건물들과 경치를 감상하는 것도 권하고 싶다.

또한 모스크바에서는 지하철도 반드시 타보셔야 한다. 타보시면 지하철역마다 타고 내리는 곳 하나하나가 지하궁전임을 알 수 있을 것이다.

뿐만 아니라 모스크바를 방문하신 분들에게 한 번쯤은 발레를 꼭 보시길 권한다. 더불어 모스크바의 밤 풍경을 경험하시는 것도 괜찮다는 말을 전하고 싶다.

이 책에서는 이들을 칼라판 사진으로 보여주고 있으니 참고하시면 좋을 듯하다.

이 책들이 러시아를 알고 싶어 하시는 분들에게 도움이 될 것을 확신하며.

2015년 2월 28일 처음 쓰고,

2019년 5월 칼라판으로 출판하다.

솔뜰

〈2014년 러시아 여행기 3부: 모스크바〉

동화 속의 아름다움을 꿈꾸며

차례

노보데비치 수도원
(2014. 8. 6)

노보데비치 수도원

구세주 그리스도 성당

이즈마일롭스키 벼룩시장

구 아르바뜨 거리 / 모스크바 강 유람선(2014. 8. 24)

모스크바 유람선

붉은 광장 (2014. 8. 30 - 8.31)

모스크바 붉은 광장

알렉세이 궁전

꼴로멘스코에 공원 / 알렉세이 궁전(2014. 8. 31)

모스크바 대학

모스크바 대학과 참새 언덕 (2014. 8. 31)

오스탄키노 러시아 박람회장 (2014. 9. 6)

러시아 박람회장 우주관

소콜니키 공원(2014. 9. 7)

소콜니키 공원

알렉세이 궁전

모스크바 붉은 광장

돈스코이 수도원

돈스코이 수도원 / 크레믈린 발레
(2014. 12. 11 - 12.12)

아르한겔스코예 궁전(2014. 12. 14)

아르한겔스코예 궁전

짜르찌이노 궁전

짜르찌이노 궁전: 미술품

짜리쯔이노 궁전(2014. 12. 21)

1. 저 호수가 바로 백조의 호수라고?

2014. 8. 6. 수

1시 20분. 502번 버스가 선다.

메트로 메드베드코보(Medbedkobo) 가는가 묻자 간다고 한다.

타자마자부터 교통이 막히기 시작한다.

구글 맵으로 노선을 추적한다.

참 편리한 세상이다. 현재 나의 위치가 지도에 나타나다니!

이 버스는 피로고프스키에서 미티시 방향으로 좌회전하여 가다가 미티시 들어가기 전에 우회전하여 메드베드코보로 간다.

보니 581번 서는 데 선다.

노보데비치 수도원

노보데비치 수도원-

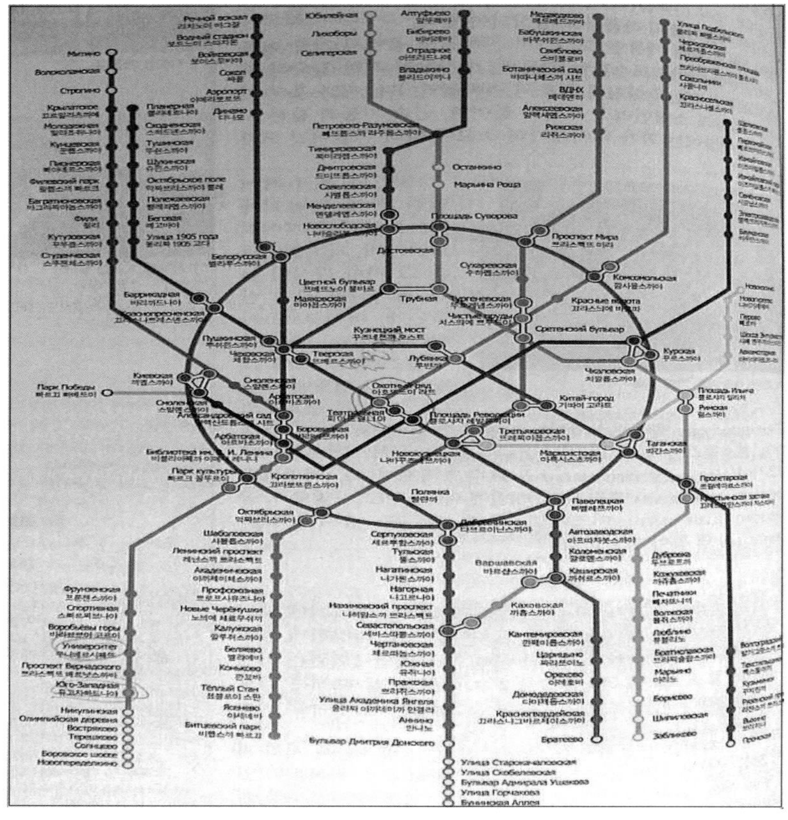

모스크바 지하철 노선도

메드베드코보에서 붉은 색 지하철을 타고 스뽀르찌브나야(Спортивная)에서 내린다.

아무런 준비도 없이 왔기에 사람들을 붙잡고 그저 수도원과 성당을 찾는다.

한편으로는 구글 지도를 보고 녹색으로 표시된 지역을 찾는다.

1. 저 호수가 백조의 호수라고?

가르쳐 주는 대로 걷다보니 단풍든 낙엽들이 벌써 많이 떨어져 있다.

길 건너로 성벽과 망루 등이 보인다.

아하! 저것이 수도원이구나. 눈치로 때려잡는다.

성벽 옆을 따라 오른쪽으로 죽 걷는다.

이윽고 성벽을 돌아가니 그 앞으로 조그만 공원이 있고, 성벽의 문이 나타난다.

노보데비치 수도원(Новодевичий Монастырь)이다.

수도원 문을 지나 밑으로 내려가면 호수가 나온다.

차이코프스키가 이 호수를 보고 영감이 떠올라 '백조의 호수'를 작곡하였다는 호수인데, 영감은커녕, 별로 아름답다는 생각이 안 든다.

이를 보면 차이코프스키는 참으로 특이한 사람이었던 모양이다.

백조의 호수

백조의 호수 너머 빌딩들

별것도 아닌 호수를 보고도 그 아름다움 곡을 떠올리는 것을 보면 보통 사람은 아니다.

호수보다는 호수 너머로 보이는 현대식 빌딩들이 훨씬 더 아름답다.

차이코프스키가 이 호수에 왔을 때에는 저 빌딩들이 없었을 거다.

만약 저 빌딩들을 보았더라면 '백조의 호수'가 아니라 '빌딩 위의 천사들'이라는 곡을 지었을지도 모른다.

호수에는 백조는 안 보이고, 오리 떼가 줄을 지어 노닐고 있을 뿐이다.

물론 호숫가에는 그냥 쉬는 사람들도 있고, 애기들을 유모차에 태우고 거니는 사람들도 있다.

2. 우찌 해야 하느님이 좋아하실까?

2014.8.6. 수

주내는 호숫가를 한 바퀴 돌아본다 하고, 나는 대표로 수도원으로 들어선다.

내가 잘나서가 아니다.

주내는 성당과 수도원 같은 것을 하두 많이 봐서 이제 지겹다며, 그냥 호숫가에 있는 게 좋다고 한다.

물론 근처에 백화점만 있었다면, 물론 주내가 호숫가에서 방황하지는 않았으리라는 것을 나는 확신한다.

나는 성당만 보면 들어가 보고 싶어 하는 반

노보데비치 수도원

노보데비치 수도원-

면에, 주내는 시장이나 백화점만 보면 들어가 보려고 한다.

서로 다른 취미는 그냥 인정해 주어야 한다.

나는 성당이 좋은데……. 내가 신심이 많아서 그런가? 죄를 많이 지어서 회개할 것이 많이 남아서 그런가?

나를 아는 분들은 내가 신심이 많아서 그런다고 할 것이다. 사실 맞는 말이다.

그 동안 들어가 본 성당만도 셀 수 없을 정도로 많다.

아니 성당과 교회뿐만 아니라 절이나 사당, 이슬람 사원, 교회 등 종교와 관련된 시설은 눈에 띠는 대로 거의 다 들어가 보았으니까.

들어가면 들어갈 때마다 참회는 쬐끔 하고, 주로 복을 빈다. 하두 많이 들어가 참회를 하였으니 참회할 게 없는 거다.

노보데비치 수도원

2. 우찌해야 하느님이 좋아하실까?

참회할 게 없다고 하니, 누군가는 "아직도 교만이 꽉 차 있다."고 말하더구만. 쩝!

복을 빈다고 하니, 또 누군가로부터 "그것은 기복신앙이지 참 신앙이 아니다."라고 말을 듣기도 한다.

사람은 자기 눈으로만 세상을 보기 때문이다.

교만에 붙잡혀 있는 사람이나 기복신앙에 매여 있는 사람은 그 눈으로 남들을 보기 때문에 그렇게 보이는 것이다.

자기 눈으로 세상을 보는 건 그 사람 자유이지만, 남에게도 그 잣대를 들이미는 건, 글쎄……. 그것이 항상 타당할까?

교만이 꽉 차 있다고 비난하든. 복을 빈다고 기복신앙이라 힐난한들 나는 별로 할 말이 없다.

내가 볼 때, 그것은 교만이 아니고 자신감이며, 기복신앙이 신앙의 원초라 생각하는 까닭이다.

나 역시 나의 눈으로 세상을 보는 까닭이다.

나는 늘 "이런 경우, 하느님의 생각이 어떠했을까?"라고 상상하며 세상을 보려고 한다.

100% 하느님의 눈은 아니겠지만, 하느님의 눈으로 세상을 보고자 하는 것이다.

하느님은 계속 잘못을 비는 사람을 좋아할까? 아니면, 잘못이 없다고 자신에 차 있는 사람을 좋아할까?

하느님께 00을 달라고 부탁하는 사람을 좋아할까? 아니면, 하느님께 모든 걸 바치기만 하는 사람을 좋아할까?

하느님은 전지전능하시고 모든 걸 다 가지셨고. 부족함이 없으신 분이다.

내가 하느님이라면, 어찌할까?

내가 하느님이라면, 달라는 사람에게 모든 걸 다 내주겠다.

그게 사랑 아닐까? 충분히 주시고도 모자라지 않는 게 하느님의 재산 아닌가?

주시고 또 주시고 아무리 주셔도 축나지 않는 게 하느님 재산이라면, 달라는 대로 다 주실 거라고 생각하면서 나는 겸허히 복을 구한다.

노보데비치 수도원 내부

그 동안 주신 것에 감사하며.

사실 고백하건대, 하느님께 기도하면 반드시 들어주셨다.

지금까지 한두 번 그런 경험을 한 게 아니다.

다 가지신 하느님께 내가 바

칠 수 있는 건, 즐겁게 사는 모습을 보여드리는 것만으로도 족하다. 하느님께 드리는 감사로서 충분하다.

우리는 자식들이 잘 살기를 바란다. 즐겁게 살기를 바란다.

하느님도 마찬가지 아닐까?

우리가 즐겁게 잘 살기를 바라실 것이다.

교회 와서 눈물 질질 짜며, "잘못했습니다. 용서해 주십시오."라고 하는 것도 한두 번이지, 매번 교회 올 때마다 그러면 하느님이 과연 좋아하실까?

노보데비치 수도원-

3. 돈이 사람을 교양 있게 만든다.

2014.8.6. 수

이 수도원은 16세기 초에 폴란드와의 싸움에서 이긴 것을 기념하기 위해 지은 성채로서 러시아 귀족들의 자녀와 부인들을 위한 수도원으로 유명하다.

알려지기로는 표토르 황제의 정적이었던 이복 누이인 소피아와 표토르의 첫째 부인인 에브도키아도 여기에 유폐되었다고 한다.

때로는 수도원으로, 때로는 감옥으로 사용된 아주 편리한 곳이다.

그리고 이 수도원에는 유명한 사람들이 묻혀 있다고 한다.

성화

성화

여기에 갇혀 있던 소피아와 에브도키아는 물론이고, 고골, 체홉 등의 문인, 피아니스트 스크랴빈, 그리고 케네디 미국 대통령과 자웅을 겨루었던 후로시쵸프도 여기에 묻혀 있다고 하는데, 통 어디에 묻혀 있는지는 알 수 없다.

수도원에는 여러 채의 건물들이 있는데, 300루블을 내고 표를 끊으면 그 한쪽 끝을 여섯 개로 나누어 찢은 다음, 건물 들어갈 때마다 이를 보여주면 할멈들이 지키고 있다가 한 장씩 떼어낸다.

전시물품은 주로 성화와 성물들이다.

처음 들어간 방에서는 성경의 이야기들을 표현한 그림들이 전시되어 있다.

성화

성화

유명한 화가들이 그린 그림들인데, 그 가운데에는 정말 볼 만한 것들이 있다.

유명하다는 것만 알지 누가 그린 지는 기억하지 못한다.

유명한 그 양반으로서야 섭섭하겠지만, 나는 이름보다는 그림 자체를 본다.

누가 그린 것인지, 왜 그 그림이 좋은 것인지는 콕 집어내어 말할 수는 없어도, "보기에 심히 좋더라!"라는 말이 나올 수 있는 그림들만 본다.

한마디로 내 맘대로 본다.

그림의 효용이란 보는 사람이 느낄 수 있어야 하는 것이다.

3. 돈이 사람을 교양있게 만든다.

보는 사람은 자기 수준대로 느낄 수 있는 것이다.

돼지에게 고려청자를 보여주거나, 밀레의 그림을 보여준들 돼지 수준에서는 느끼지 못한다. 돼지에게는 구정물이 더 반가울 것이다.

사람도 마찬가지이다.

자기 수준에 맞추어, 유치한 사람은 유치한 그림을, 고결한 사람은 고결한 그림을 좋아하는 것이다. 누가 그린 것인지는 중요하지 않다.

성화

자기 수준에 맞추어 보면 되는 것이다. 그러면서 수준이 조금씩 올라가면 더 좋은 것이고!

성화

그런데, 우리는 핵교 다닐 때, 유명한 작가 이름과 작품 이름만 열심히 외우는 공부를 했다.

잘 외우면 우등생이고, 못 외우면 열등생이라는 서열을 짓기 위해 외우라고만 시켰지 감상하는 법은 제대로 못 배웠다.

그래도 열심히 외운 분들은 루블이나 에르미타쥐에 가서 "아하, 이것이 그때 외웠던 000의 xxxx이구나!"라고 회상할 수는 있다. 물론 기억력이 좋아야 하겠지만.

그리고는 한국에 돌아가 떠벌린다.

"내가 루블에 가서 000의 xxxx 진품을 보았지."라고.

진품과 모조품을 구별하는 안목도 없는 사람들이 더더욱 그러하다.

사실 루블이나 에르미타쥐에도 모조품을 가져다 놓은 경우가 많이 있다.

성화

3. 돈이 사람을 교양있게 만든다.

나는 그냥 본다.

이름 없는 화가가 그린 그림이라도 내 수준에 맞으면 감탄하고, 이름 있는 화가가 그린 그림이라도 내 수준에 안 맞으면 그냥 지나간다.

성화

사실 이런 데 걸려 있는 그림은 이름 없는 화가가 그린 것은 없다. 내가 중고등학교 댕길 때 외우지 못하여 기억을 못하고 있을 뿐.

어찌되었든 300루블이나 내고 들어왔으니, 내 수준에 맞는 그림들을 찾아보아야겠다.

"돈이 사람을 교양 있게 만든다."는 진리를 또다시 경험하는 순간이다.

어떤 방에는 사제복과 이 수도원을 지을 때부터 개축하던 때의 사진들을 모아 놓은 곳도 있고, 푸틴 씨가 방문한 사진도 전시되어 있다.

갑자기 "푸틴은 어느 수준일까?"가 궁금해진다.

그렇게 부지런히 교양을 넓히고 있자니, 맥주도 생각나고 먹을 것도 생각난다.

약속한 시간에 밖으로 나와 주내를 만난다. 그리고 머리는 채웠으니 이제 속을 채운다.

3. 돈이 사람을 교양있게 만든다.

4. 성당 안에 성당 건물이!

2014. 8.10. 일

이 교수 부부도 떠나고, 한국에서 낑낑거리며 가져온 식량도 거의 바닥이 났다.

이제 우리 둘만 남았다.

아침 일찍 버스를 탄다.

그리고는 붉은 색 지하철을 능숙하게 갈아타고 끄라뽀드낀스카야(Kropotkinskaya)에서 내린다. 크레믈린 입구가 있던 국립도서관역 다음 역이다.

구세주 그리스도 성당(Храм Христа Спасителя)을 보기 위해서다.

구세주 그리스도 성당: 꽃밭

지하철에서 나오니 눈앞에는 꽃밭이 펼쳐져 있고, 오른쪽 위로는 구세주 그리스도 성당이 당당하게 서 있다.

왼쪽 둔덕 위에는 알렉산더 동상이 서 있고, 동상 뒤쪽 좌우에는 실물 크기의 사자가 조각되어 있는데, 참으로 물건이다.

다시 빙 돌아 성당 정문으로 간다.

역시 성당 문 옆에는 어김없이 거지들이 손을 내밀고 있다.

성당 문으로 들어가니, 내부가 엄청 크다. 깨끗하고, 단장이 잘 되어 있다.

역시 사람들은 줄을 서서 기다리다 성화 앞에서 기도하고 소원을 빈다.

가운데 십자가의 맨 앞쪽에는 작은 성당이 하나 놓여 있다.

구세주 그리스도 성당: 사자상

4. 성당 안에 건물이!

구세주 그리스도 성당 앞 거지

성당 안에 또 다른 성당 건물이 놓여 있는 것이다. 성당이 얼마나 큰지 알 수 있다.

성당 벽에는 성화가 걸려 있고 그 앞에는 금 촛대에 촛불들이 일렁이고 있다.

사진을 찍을 수 없는 것이 유감이다.

성당 안의 뒤쪽으로 가니 지하로 내려가는 계단이 나선형으로 되어 있다.

나가기 전에 밑으로 내려가 보자 하여 내려간다.

내려와 보니 이곳에는 지하성당이 마련되어 있다.

샹델리에 불빛과 전등 빛에 지하성당의 모습이 예쁘게 빛난다.

둘러보고 있으려니 결혼할 신랑신부가 친구와 가족과 함께 결혼식

구세주 그리스도 성당: 지하성당

준비를 한다.

신랑신부를 가운데 놓아두고 친구인지 친척인지가 사진을 찍어댄다.

이참에 나도 한 컷 찍는다.

그런데 어찌 알았는지 경비가 달려와 사진기를 뺏는다. 찍으면 안 된다고.

그러면서 사진기의 저장된 사진들을 훑어본다.

마침 막 찍은 사진이 저 안 쪽으로 저장되어 있어—나도 모른다. 왜 그런지? 하느님 뜻이 아닐까?—찾아내지 못하고 사진기를 돌려준다.

그놈, 참. 사진 좀 찍으면 안 되나? 지들은 막 찍으면서!

어찌되었든 찍지 못하게 하는 사진을 이렇게 한 장 찍었다.

이 성당을 짓기 전에는 이곳에 대형 수영장을 지었다 한다.

4. 성당 안에 건물이!

그런데 계속 수영장이 무너져 할 수 없이 메우고 이 성당을 지었다 한다.

지하성당에서 위로 올라오지 않고 그 뒤로 컴컴한 통로가 있어 가다 보니 바깥으로 나왔다.

나와 보니 길 건너에 깨끗한 건물과 음식점이 있다.

음식점을 보니 한국 식당이 생각난다.

이 근처에 한국 식당 백학이 있다던데……. 저 음식점에 가서 물어보면 되겠구나.

음식점은 일식집인데, 들어가서 물어봐도 모른다는 대답뿐이다.

길을 따라 대충 방향이 이쪽이려니 하고 가면서 물어본다. 이쪽 길에 푸시킨 하우스와 톨스토이가 살던 집이 있다고 하니까 말이다.

구세주 그리스도 성당

백학이라는 식당은 이 성당이 있는 지하철 다음 역인 빠르크 꿀뚜르이(Park kul'tury Парк культуры) 근처라고 본 듯해서이다.

그리고 이 기억은 옳은 기억이었다.

전혀 엉뚱한 곳에서 한국 식당을 찾으니 한국 식당이 생겨날 리가 없다. 결국 남산에서 김 서방 찾기이다. 주소도 안 가지고 찾는다는 것은 무리인 것이다.

우리는 이 세상에 살면서 전혀 엉뚱한 곳에서 전혀 엉뚱한 것을 찾고 있는 것은 아닐까?

4. 성당 안에 건물이!

5. 한국 사람이 분명히 있을 텐데…….

2014.8.10. 일

단념하고 끄라뽀드낀스카야(Kropotkinskaya) 지하철역으로 향한다.

주황색 노선의 렌닌스키 프로스펙트(Leninskiy prospekt) 역에서 내리면 코르스톤 호텔은 쉽게 찾을 수 있을 것이다. 호텔이니까!

이 호텔 안에는 한국 식당이 많이 있다고 들었으니, 아예 쉽게 찾을 수 있는 곳으로 가기 위해서이다.

"오늘 점심은 무슨 일이 있더라도 한국 식당에서 해결하리라."라는 주내의 일편단심을 꺾을 수가 없는 까닭이다.

엥겔스 동상

끄라뽀드낀스카야 지하철역 못 미쳐 성당과 대각선인 곳에는 엥겔스의 동상이 서 있다.

엥겔스는 유물론자이고, 성당과는 전혀 대척점에 있는 사람인데, 왜 여기에 엥겔스의 동상을 세웠을까? 절친한 벗 맑스의 동상도 없는데…….

엥겔스는 저 성당을 보면서 무슨 말을 하고 싶은 걸까?

지하철 안에서 마침 옆에 동양인 여자가 앉았다. 말레이시아 젊은 여성이다.

주내가 물어본다.

"코리안 레스토랑을 아냐? 아시안 그로서리도 같이 있다는데……."

"안다. 내가 갈쳐 줄게."

렌닌스키 프로스펙트(Leninsky Prospect: 주황색 노선))에서 내리자 이 아가씨가 앞장서서 출구로 나와 이쪽 이쪽으로 가라고 한다.

가리켜주는 대로 가보니 '아시안 그로서리'가 아니라 '아샨'이라는 커다란 이마트보다도 더 큰 몰이다.

어찌되었든 아샨으로 들어간다.

엄청 큰 몰이어서 없는 게 없다. 이층은 옷, 가구 등 생활용품을 아래층은 식품을 판다. 특히 채소와 과일이 엄청 싸다.

참기름을 사가려고 참기름을 찾아보다 이 사람 저 사람 붙들고 물어보는데, 아는 사람이 없다.

주로 동양 여자들, 영어를 할 줄 안다고 생각되는 여자들에게 물어보지만 참기름을 잘 모른다.

올리브 기름은 그 종류가 수없이 많이 있는데, 아무리 훑어봐도 참

기름은 없는 것이다.

이 많은 사람 중에 한국 사람이 분명히 있을 텐데…….

눈치를 살피다가, 옳거니, 한국 사람을 만났다.

남자 분 두 분인데, 한 분은 여기 산지 19년이 되었고, 한 분은 30년이 넘었다 한다.

30년이 넘은 분은 어렸을 때, 초등학교 5학년 때인가 왔기 때문인지 우리말을 알아듣긴 하는데, 하는 말은 서툴다.

19년 된 분은 직장 때문에 왔는데 돌아갈 생각이 없다고 한다. 살기가 편하기 때문이라고 한다.

물어보니 참기름은 없단다.

그러면서 한국 식당에 가면 참기름을 판다고 한다.

코르스톤 호텔

어디에 있는가 물으니, 코르스톤 호텔에 가면 많이 있다면서 차를 가지고 왔냐고 묻는다.

차가 있을 턱이 있나?

없다고 하자, 기다리라 한다. 걷기에는 조금 멀다면서 자기가 계산만 끝나면, 차를 태워 데려다 주겠다고.

이런 고마울 데가! 천사가 따로 없다.

차를 얻어 타고 참새 언덕으로 가서 한 바퀴 돌아 모스크바 대학 정문 앞을 지나며, 설명을 해준다.

이것이 모스크바 대학이라고. 겉으로는 웅장하게 보여도 안에 들어가면 형편없다는 말과 함께.

그리고 이런 스탈린식 건물이 모스크바에만 7개 있다고 한다. 러시아 호텔, 외무성 건물 등등.

스탈린 양식의 건물은 공산주의 국가에서 흔히 볼 수 있는 건물이다.

미적으로 볼 때에는 별로인데, 공산주의 독재국가들, 예컨대, 루마니아에서도 이런 양식의 건물을 본 적이 있고, 북한에서도 이런 양식의 건물을 따라서 지었다.

그냥 종주국에서 지으니까 따라서 하는, 한 마디로, 쓸개 빠진 놈들이다.

어찌되었든 우리는 코르스톤 호텔에 도착했고, 이분은 아래 층으로 안내하더니 여기가 '데리야끼'라는 한국음식점이고, 저기가 '신라'라는 한국음식점이고, 이곳이 '마루'라는 한국 식품점이라고 친절히 일러준다.

어느 음식점이 맛있는가 묻자 비슷비슷하니까 아무 데서나 드시고 가시라 한다.

5. 한국 사람이 분명히 있을 텐데…….

코르스톤 호텔 앞의 가로수 길

그러더니 바빠서 먼저 간다고 휭 하니 가버린다.

붙잡고 이름을 물으나, 손을 휘휘 내저으며, 그냥 간다.

'데리야끼'라는 한국 식당으로 가서 주내는 비빔냉면 세트를 시키고 나는 대구 매운탕 세트를 시킨다.

시키고 나니, 우리를 차 태워주고 여기까지 데려다 준 한국인 천사분을 그냥 보낸 것이 조금은 마음에 걸린다. 맥주라도 한 잔 사야 하는 건데…….

한국인이 사장이라는데, 한국 사람은 안 보이고, 현지인 종업원만 왔다 갔다 한다.

세트 음식을 권하기에 시켰는데 양이 많다. 음식 솜씨는 괜찮다.

오랜 만에 매운탕을 먹는다. 맥주 한 잔과 함께.

돈은 좀 많이 들었지만 잘 먹었다.

그리고는 한국 식품점 '마루'에 들려 참기름, 라면, 김치 등을 사서 들고는 렌닌스키 프로스펙트 지하철역으로 향한다.

지하철역으로 가는 길은 가로수가 우거져 터널을 만든 아름다운 길인데, 낙엽이 쌓여 있다.

벌써 가을이 오는 것이다.

5. 한국 사람이 분명히 있을 텐데…….

6. 왜 존경하는 인물에는 '새끼'를 부칠까?

2014.8.16. 토

오늘은 시장을 간다. 겨울 옷 등을 준비하여야 하기 때문이다.

올 때 가져 오려 했으나, 먹을 것을 잔뜩 싸 오는 통에 고생만 하고 입을 것이 없다. 날은 점점 추워지는데.

주내는 아샨으로 가서 옷을 사자고 하나, 일단, 벼룩시장 관광을 겸하여 진한 파란색 노선의 이즈마일롭스키 파크로 가기로 했다.

지하철을 몇 번 갈아타고 이즈마일롭스키 파크로 가려면 진한 파란 노선의 이즈마일롭스카야 역에서 내리는 것이 아니라 그 전의 빨치산 역(Partizanskaya station)에서 내려야 한다.

이즈마일롭스키 벼룩시장 입구

이제 지하철 타는 것도 요령이 생겼다.

너무 글자가 어려워 다 읽지는 못하고, 대충 앞의 몇 글자만 읽고, 전화기에 저장해 놓은 지하철 노선 사진을 보고 밖의 정차역 벽에 붙은 역명을 대조해 나가면 된다.

그리고 대부분 뒤에 스카야라는 말이 붙어 있다.

아마도 광장을 뜻하는 영어의 스퀘어(square)와 같은 말인 듯싶긴 한데, 아닐 가능성이 더 높다. 따라솝스카야(Tarasovskaya)는 우리가 살고 있는 동네의 기차역 이름인데, 광장은 없기 때문이다.

여하튼 꾸르스카야, 뚜루게넵스까야, 알렉세넵스까야, 이즈마일롭스까야, 끼옙스까야 등은 지하철역 이름이다.

대개 지명이나 사람 이름 뒤에 스까야를 붙여 무엇인가를 나타내는 듯한데, 아직 러시아어가 서툴러 잘 모르겠다.

어찌되었든 영어의 '스퀘어'하고 비슷하니까, 광장이려니 하며 외우니 잘 외워지기는 한다.

한편, 그 지역의 특징을 나타내는 지하철역도 많다.

국립도서관이 있는 곳은 비블리오쩨까~~(뒤에 붙는 이름이 더 있는데, '비블리오쩨까'까지만 외웠다. 영어의 Bibliotek인데, te 발음이 '쩨'로 난다)이고, 모스크바 대학이 있는 곳은 대학 역이라는 뜻의 우니베르시쩨뜨(영어의 University), 극장이 몰려 있는 곳은 극장 역이라는 뜻의 쩨아뜨랄나야(영어의 Theater), 혁명 광장이라는 뜻의 쁠로싸드 레볼루찌이(영어의 Revolution), 빨치산이라는 뜻의 빠르찌산(영어의 partisan) 역 따위가 그러하다.

영어 발음과 좀 다르지만, 머리만 조금 굴리면, 이런 역들은 금방 익

숙해진다.

한편, 거리라는 뜻의, 우리말로 하면 '-대로', '-로' 하는 식으로 '쁘로스뻬뜨'라는 말이 붙는 경우도 있다. 쁘로스뻬뜨 미라. 렌닌스키 쁘로스뻬뜨, 라잔스끼 쁘로스뻬뜨 따위가 그러하다.

러시아 사람들은 된 발음을 되게 좋아한다. 거센소리의 t 발음이나 p 발음도 도 '뜨(떼/쩨)'나 '쁘'로 발음한다.

그나저나 왜 러시아 사람들 중 훌륭한 사람들 이름에는 '새끼'가 붙을까?

'새끼'가 아니고 '스키'이지만, 내 귀에는 '새끼'로 들린다.

차이콥스키, 도스토에프스키, 알렉산더넵스키 등등, 훌륭한 사람들 이름은 '스키'로 끝난다. 이들의 관행이겠지만…….

이즈마일롭스키 벼룩시장

그런데 러시아인들이 제일 존경하는 렌닌마저도 ‘스키’를 붙인다. 렌닌스키 쁘로스뻭뜨 지하철역이 그러하다.

우리는 그냥 렌닌새끼 프로스펙트라고 외운다.

욕을 하거나 렌닌을 폄훼하자는 의미는 물론 전혀 아니다.

나중에 알았는데, 렌닌에다 ‘새끼’를 붙인 것은 존경하는 의미가 아니고, 우리말의 ‘~의’라는 뜻이라 한다. 물론 차이콥스키나 알렉산더 넵스키의 ‘스키’는 그저 남자 이름에 관행적으로 많이 쓰이는 말이란다.

그런 걸 그냥 존경하는 사람에게 ‘새끼’라고 붙여서 부르는 것으로 오해를 했으니…….

이 사람들의 말을 우리말 식으로 해석하면 욕이 되는 경우가 더러 있다.

이즈마일롭스키 벼룩시장

6. 왜 존경하는 사람에게는 ‘새끼’를 부칠까?

이즈마일롭스키 벼룩시장

'쯔바 씨바'는 '감사합니다'라는 의미인데, 감사할 때에 이 말이 욕하는 것 같아 잘 안 나와 어색한 적이 있다.

그냥 이들이 하는 대로 하면 될 것을!

이 사람들이 대답을 할 때에는 '그렇다' '예스'라는 뜻으로 쓰는 말이 '다'이다.

'다'라고 할 때 조금 길게 뒤끝을 낮추어 발음하면 된다.

어떤 경우에는 '다다', 때로는 '다다다 다다, 다아~.'라고도 한다.

'알겠습니다, 좋습니다'라는 뜻으로는 '아라쇼'라고 한다.

우리말 '알았소'가 언제부터 러시아 말로 굳어진 것일까?

이즈마일롭스키 벼룩시장

7. 싸다, 싸다 하니까 쓰이는 건 돈뿐이다.

2014.8.16. 토

빨치산 역((Partizanskaya 진한 파란색 노선)에 도착하여 객차에서 내려 계단을 올라가며 보니 총 든 빨치산들이 멋지게 폼을 잡고 있는 동상이 있다.

빨치산 역

지하철역마다 특징이 있다. 다 나름대로 개성이 있고, 예술적으로 꾸며 놓았다.

밖으로 나오면, 바로 저 쪽으로 동화의 나라 같은 집들이 보인다.

저곳이 벼룩시장이다.

언제 보아도 목조건물들이 멋있다.

멋있는 건물들을 지어 놓고

이즈마일롭스키 벼룩시장

벼룩시장으로 사용하는 것이다.

여기에 들어갈 땐 입장료로 10루블을 내야 한다.

들어가기 이전부터 길거리에는 좌판을 깔거나 옷걸이에 옷을 걸어 놓고 장사를 하는 사람들이 많다.

이 교수가 이 구경을 하지 못한 것이 안타깝다.

러시아의 유명한 인형 마트로시카를 비롯한 각종 기념품들, 가죽 제품, 헌 옷가지, 그림, 우표, 동전, 골동품, 군복, 칼, 탄피로 만든 공예품, 책 등등 없는 것이 없다,

없는 물건이 없으니 볼거리도 많으려니와 그 안은 꽤나 넓어 다리가 아플 지경이다.

기념품들의 값 역시 많이 싸다.

이즈마일롭스키 벼룩시장

그렇지만 제대로 사려면 상인들이 부르는 값을 다 주어서는 안 된다. 비슷한 다른 가게들을 한 번씩 둘러본 다음에 흥정을 해야 한다.

물론 돈 많으신 분들은 그냥 다 주어도 괜찮다.

시내의 상점에서 부르는 값의 1/10 정도밖에 안하는 것도 있다.

물론 물건의 품질은 조금 떨어지지만, 좋은 물건을 값싸게 살 수 있는 곳이다.

일단 배부터 채워야겠다 싶어 한쪽 옆의 샤슬릭 굽는 데로 간다.

길 한쪽에는 샤슬릭(꼬치구이)을 구워 파는 가게들이 대여섯 개 늘어서 있는데, 직접 숯불에 굽기 때문에 그곳을 그냥 지나치는 것은 예의가 아니다.

7. 싸다, 싸다 하니까 쓰이는 건 돈뿐이다.

양갈비 샤슬릭은 400루블, 연어 샤슬릭은 450루블, 닭꼬치 샤슬릭은 350루블 등인데, 빵과 샐러드는 공짜란다.

양갈비 샤슬릭과 맥주를 주문하였으나 바깥에는 자리가 없다.

이층으로 올라가라 하여 올라 왔으나 역시 빈자리가 없다.

둘러보니 한국 사람들도 눈에 뜨인다.

젊은 처녀들이 한 테이블을 차지하고 앉아 꼬치구이를 먹는다.

우리가 서 있는 바로 앞에는 은퇴한 한국인 부부가 앉아 양갈비를 뜯고 있다.

주내가 "한국 분들이세요?" 하고 묻자, 합석하시라고 권한다.

여기에 앉아 이분들과 이야기하며 맛있게 먹는다.

이즈마일롭스키 벼룩시장

이 두 분은 오늘 저녁 급행열차 편으로 쌩 빼쩨르부르그(Санкт-Петербург)에 갈 예정이란다.

이야기꽃이 피자 한이 없다.

결국 쌩 빼쩨르부르그로 가야 하실 분들이 자리에서 일어난다.

우리도 일어나 시장 이곳저곳을 돌아다닌다.

결국 기념품으로 몇 가지 사고 나니 돈이 없다.

문제는 카드를 안 받고 현금만 받는 데 있다.

시장 밖에 나가면, 호텔이 있고, 그곳에 현금 인출기가 있으니 찾아오란다.

4시쯤 되니 시장을 파한다.

시장 밖으로 나와 옷을 주렁주렁 걸어 놓은 곳에 가 운동복 겸 겨울에 입을 수 있는 옷을 1,200루블 주고 산다. 그리고 눈 올 때 입을 수 있는 두툼한 윗도리 하나를 700루블인가 주고 산다.

여자 것은 주내에게 맞는 것이 없어 다음 주에 가져다 놓는다 한다.

다음 주에 다시 올 테니 1,000루블에 달라고 하자 그러겠다고 한다.

싸다. 싸다, 싸다 하니까 쓰이는 건 돈뿐이다.

사람들은 늘 이럴 때 조심해야 한다. 싸니까 과소비가 이루어지는 것이다.

옷 보따리를 들고, 지하철을 탄다. 그리고 돌아온다.

일단 내 겨울 준비는 어느 정도 되었다. 이제 오리털 파카만 하나 사면 끝이다.

8. 세상에서 제일 멋진 건물

2014.8.23. 토

어느 새 일주일이 흘렀다.

기온은 급강하하여 방이 무척 춥다. 이불이 차갑게 느껴진다.

날씨 앱을 보니 부산은 29도라는데, 이곳은 최고 16도이다. 아침엔 11도이고.

주내 옷을 사야 하기에 이즈마일롭스키로 또 간다.

벼룩시장으로 들어가기 전에 오른쪽 편의 상가 건물로 들어가 식사를 하기로 했다.

들어가 보니 맨 옷가게이다.

마침 아디다스에서 전 품목 50% 세일을 한다.

이즈마일롭스키 벼룩시장의 건물들

이즈마일롭스키 벼룩시장

결국 여기에서 오리털 파카를 하나 2,500루블(약 75,000원)에 장만한다.

그리고는 3층이던가, 음식점이 몰려 있는 층으로 올라가 켄터키 프라이드 치킨을 시킨다.

500루블이 안 되는 돈으로 두 사람이 맥주와 함께 잘 먹는다.

그리고는 옷 보따리를 들고 간 배낭에 쑤셔 넣어 짊어지고 벼룩시장으로 간다. 주내 옷을 사야 하기 때문이다.

이즈마일롭스키 벼룩시장의 건물들

그런데, 주내에게 맞는 옷이라고 가져다 놓은 것을 보니 푸른 색 윗도리가 분홍색 무늬로 바뀌어 있어 주내는 싫다고 한다.

결국 또 못 샀다.

여자들이란 참 까다롭다.

엔간하면 그

이즈마일롭스키 벼룩시장: 제일 멋진 건물

냥 입다 버리고 가면 될 것을, 왔다 갔다 하는 것이 취미인 모양이다.

온 김에 벼룩시장엘 다시 들어간다. 물론 10루블씩 내고.

견물생심이라, 보면 돈이 나가게끔 되어 있다.

몇 가지 선물용으로 기념품 등을 산다.

그리고 이층으로 올라가 돌아다닌다. 지난번에 안 가보았던 데로 가 보는 것이다.

결국 여기에서도 유리그릇을 하나 산다. 주내가 가지고 싶어 하니 어쩔 수 없다.

예쁘긴 하지만, 저 무거운 걸 어찌 가져가나? 더욱이 파손 위험도 있고.

그리고는 이층 통로를 따라, 지난번 안 와 본 데라서, 통로를 지나

이즈마일롭스키 벼룩시장: 신랑신부

니, 와! 이런 건물이 여기 숨어 있다는 것을 지난번에는 왜 몰랐었나 싶다.

본디 주인공은 늦게 나타난다고 했던가!

내가 본 목조 건물 중 최고의 건물이 여기에 있다.

어쩌면 저렇게 아기자기하게 큰 건물을 지어 놓았을까?

이 건물을 사진에 넣고 그 건물 뒤쪽으로 가니 마침 결혼식을 끝낸 신랑신부가 나온다.

보니 예식장이 이곳에 있는 것이다.

예식장 옆에는 음주시험장이 있다.

들어가 보니 중국 관광객 이삼십여 명이 시끄럽게 음주 시험을 하고 있다.

아마도 가이드인 듯한 사람이 쟁반에 보드카 등 자은 잔에 술을 따

이즈마일롭스키 벼룩시장의 건물들

이즈마일롭스키 벼룩시장의 건물들

라 담아 내온다.

나두 음주 시험 좀 할까 하다가 그만 둔다.

너무 시끄러워서!

아이고, 좀 조용히 술맛을 음미하면 안 되나? 떠들어 대는 통에 술맛이 안 날 것 같다.

언제부터 중국이 이렇게 부자가 되어 떼 지어 관광을 다니는지. 세상 참 많이 달라졌다.

세상이 변한 걸 다시 한 번 느낀다.

어찌되었든 오늘은 좋은 건물을 보았으니, 여기 온 게 다행이다 싶다.

나오면서 뒤돌아보니 정말 동화의 나라 같다.

8. 세상에서 제일 멋진 건물

9. 구 아르바뜨 거리의 낙서

2014.8.24. 일

아침 일찍 집을 나선다.

오늘은 아르바뜨 거리를 지나 끼에프 역 앞 선착장에서 배를 타고 모스크바 강변 경치를 구경하려 한다.

버스와 지하철을 갈아타고 붉은 노선의 국립도서관(Biblioteka) 역에서 내려 아르바뜨 광장을 향해 걷는다.

국립도서관의 옆 벽에는 러시아의 위인들, 그러니까 문인, 과학자 등의 얼굴이 조각되어 있다.

지나면 언 듯 보니 멘델레프의 얼굴이 눈에 들어온다.

아르바뜨 광장 가는 길의 건물

구 아르바뜨 거리 / 모스크바 강 유람선

아르바뜨 광장까지의 거리에 있는 건물들 역시 볼 만하다. 이름은 모르지만, 건물의 장식이 아름답다. 건물 벽이나 지붕 가장자리의 장식이나 꾸밈이 예술적이다.

광장 저 멀리에 있는 건물은 지붕에 공을 이고 있다.

아르바뜨 광장에서 지하도를 건너 구 아르바뜨 거리로 들어선다.

너무 이른 시간이라서 그런지 거리의 화가들이 이젤을 설치하고 작업 준비를 할 뿐, 사람들이 그렇게 많지는 않다.

입구에는 종을 다섯 개 매달고 그 밑에 시계가 있는 시계탑이 서 있다.

좌우 상가에는 음식점들과 기념품 집들뿐이다.

기념품 집에 들어가 가격을 물어보니 천문학적 금액이다.

구 아르바뜨 거리 입구

9. 구 아르바뜨 거리의 낙서

구 아르바뜨 거리

러시아의 상징이랄 수 있는 나무 인형 속에 똑 같은 인형이 들어가 있는 마트로시카 인형(20개 정도 들어가든가)이 12만 루블이니 50% 세일인데도 6만 루블이다.

6만이면 180만 원이다. 이건희 씨 같은 사람은 살 수 있을지 모르겠다만, 우리로서는 감당할 수 없는 금액이다.

러시아가 어찌 이리 돈만 밝히는 자본주의에 이렇게 완전히 물든 것일까?

돈의 힘은 역시 위대하다. 철통같았던 공산주의 체제가 이렇게 완벽히 변했으니 말이다.

몇 가지 금액을 물어 보다가, 지난주에 들렀던 이즈마일롭스키 파크의 벼룩시장이 정말 싼 데구나라는 생각이 든다. 물론 품질이야 조금 떨어지겠지만.

밖으로 나와 아침 식사할 곳을 찾는다.

러시아 음식이야 늘 학교에서 먹는 것이어서 맥도날드 표시가 있기에 맥도날드에서 아침 식사를 하기로 했다.

맥도날드를 찾아 걷는데, 저쪽 빌딩 위로 뾰족한 스탈린 양식의 건물이 보인다.

구 아르바뜨 거리: 극장 앞의 무용수 조각

나중에 물어보니 러시아 외무성 건물이라 한다.

조금 더 가면 오셀로라는 연극 간판이 붙어 있고 그 앞에 분수 위에는 황금으로 치장한 여자(무용수?)의 조각이 있다.

조금 더 나아가니 한쪽 골목의 담벼락에는 울긋불긋 낙서를 해놓은 지저분한,

9. 구 아르바뜨 거리의 낙서

구 아르바뜨 거리: 옆 골목

그러나 자유분방한 담벼락이 보인다.

마치 뉴욕의 빈민가 담벼락이나 뉴욕 지하철의 낙서를 보는 듯하다.

언뜻 지저분해보이긴 하나, 러시아가 더 이상 통제 체제가 아님을 상징하는 듯하다.

10. 마누라 사랑이 없다면 죽는 게 낫다.

2014.8.24. 일

조금 더 가니 사람들이 몰려 있다.

까만 돌로 조성된 푸쉬킨과 그 아내의 동상이다.

푸쉬킨이 마누라의 손을 꼭 잡고 있는, 푸쉬킨의 마누라 사랑이 전해지는 동상이다.

푸쉬킨이 누군가? 러시아인들이 가장 좋아하는 국민 시인 아닌가? 우리 식으로 하면 김영랑 정도 되는 시인이다.

우리나라 사람들이 "모란이 피기까지는 나는 울고 있을 테요, 찬란한 슬픔의 봄을……."이라고 흥얼대듯이, 러시아인들은 푸쉬킨의 시 한 구절쯤은 모두 읊을 줄 안다고 한다.

러시아 국민들의 사랑을 한 몸에 받던 시인인데……,

이 시인은 마누라가 바람이 나서 마누라의 연인과 결투를 하다가 죽었다 한다.

"삶이 그대를 속일지라도 슬퍼하거나 노여워하지 말라. 슬픈 날엔 참고 견디어라. 즐거운 날은 오고야 말 것이니."라고 읊었으나, 자신은 전혀 그러하지 못했던 모양이다. 결투를 신청한 것을 보니!

허긴 마누라 바람피웠다는데, 노여워하지 않을 사람이 어디 있겠는가!

일설에 의하면 푸쉬킨이 죽고 난 후, 푸쉬킨의 아이라고 300여 명의 여자들이 아이들을 앞세우고 나타났다 한다. 유산 상속을 받기 위해서!

그때 들고 온 증거품들이 푸쉬킨이 써준 시들이어서, 이들을 묶어

〈푸쉬킨 시집〉을 냈다는 말이 있다. 믿거나 말거나!

물론 이 말이 전부 사실은 아니라 하더라도 푸쉬킨 역시 어지간히 바람을 피운 건 사실인 모양이다.

그렇지만, 온 러시아 국민들, 특히 여성들의 사랑을 받던 푸쉬킨도 마누라 한 사람의 사랑만은 못하였던 모양이다.

푸쉬킨 부부 동상

아니면 욕심이 너무 과했든가.

"욕심이 과하면 화를 불러일으킨다."는 명언이 여기에도 적용되는가?

한편, 여기에서 "결투를 하려면 실력이 있어야 한다."는 진리를 배운다.

시 쓰는 실력보다는 싸움 실력이 있어야 하는데, 아까운 목숨을 버렸다.

마누라 바람피운 대가로 목숨을 잃다니!

허긴 마누라의 사랑을 얻지 못한다면 죽는 게 나을지도 모르겠다.

푸쉬킨 마누라의 동상을 보니 푸쉬킨보다 키가 큰 미인이다.

그런데 왜 바람을 피웠누?

맞바람을 피운 겐가?

개인 사정이라서 뭐라 할 것은 아니나, 러시아 국민들, 특히 여성들이 모두 좋아하는 사람을 놓아두고, 왜 다른 남자와 바람을 피웠을까?

아무리 전 국민이 사랑하는 사람이라 할지라도 지 마음에 안 들면 어쩔 수 없는 것 아닐까? 피양감사도 지 맘에 들어야 한

구 아르바뜨 거리: 외무성 건물

10. 마누라 사랑이 없다면 죽는 게 낫다.

다던데…….

무슨 사정이야 있겠지만, 이 여자도 참 불쌍한 여자라는 생각이 든다.

푸쉬킨이 죽은 후, 어찌 살았을꼬?

마음이 가는 대로 연인과 사랑을 하였든지, 홧김에 맞바람을 피웠든지간에 그 참혹한 대가는 평생 짊어지고 살았을 것이다.

어찌되었든 이 여인은 세인들의 손가락질을 받았을 터인데, 여기에 동상을 만들어 놓은 연유는 무엇인가?

죽은 후에도 손가락질 받게 한다는 건 너무 가혹한 것 아닐까?

더욱이 이 동상 앞의 청록색 건물이 이들 부부의 신혼집이라는데, 왜 그 앞에 바람피운 여인의 동상을 세워 놓았단 말인가?

바람을 피웠어도 남편이 유명하면, 남편과 같이 이렇게 동상을 세워주는 것이 러시아식인 모양이다.

11. 모스크바 강 위에서 보는 크레믈린

2014.8.24. 일

맥도날드에서 간단히 아침을 때운 후, 외무성 건물을 지나 다리를 건넌다.

다리 너머로는 부산 우동의 건물 같은 고층 건물들이 솟아 있다. 역시 스탈린 양식의 우크라이나 호텔이 있는 곳이다.

러시아의 관료들과 부유층이 많이 사는 곳이라 한다.

진한 파란색과 하늘색, 그리고 갈색 노선이 교차하는 키에프(Kievskaya) 역 앞의 선착장에 가 표를 끊는다.

왕복은 800루블이고, 편도는 600루블이다. 편도를 끊으면 중간에 내

모스크바강 유람선 선착장

키에프 역

렸다 탈 수가 없다.

배를 타고 모스크바 강을 따라 나아간다.

경치가 좋다. 키에프 역 쪽의 전시물인 조각도 멋있고, 눈앞의 다리도 멋있다.

뒤쪽으로는 스탈린 양식의 외무성 건물도 볼 만하지만, 무엇보다도 아까 보았던 신도시의 건물들이 아름답게 솟아 있다.

강 왼쪽으로는 숲 위로 양파머리 지붕들만 보이는데, 노보데비치 수도원인 모양이다.

더 나아가니 눈앞으로 스키 점프대가 보이고, 모스크바 대학의 뾰족한 머리 부분이 숲 위로 나타난다.

그 맞은편으로는 1980년 모스크바 올림픽이 열렸다는 루쥐니키 경

모스크바 강 건너 신도시 건물들

루쥐니키 경기장

11. 모스크바 강 위에서 보는 크레믈린

구세주 그리스도 성당

기장(Luzhniki Stadium)이 보인다.

반대편 저쪽으로는 흰색 건물이 아름답게 솟아 있다.

계속 나아가면 까만 범선 위에 사람이 올라가 지휘하는 모양의 거대한 동상이 있다.

저 사람이 누구인고? 러시아인들이 가장 존경하는 인물 표토르 대제 아닌감?

왼쪽으로는 구세주 그리스도 성당이 보인다. 그리고는 곧 이어 크레믈린의 붉은 성벽과 그 안의 궁전, 성당 등이 보이기 시작한다.

직접 안에 들어가 보는 것도 좋지만, 강 위에서 크레믈린을 조망하는 것도 괜찮다.

크레믈린이라고 하면, 우리에게는 '음흉한 느낌'이 들지만, 막상 크레

모스크바 강변 풍경

11. 모스크바 강 위에서 보는 크레믈린

범선과 표토르 대제

크레믈린

모스크바 강에서 본 바실리 성당

11. 모스크바 강 위에서 보는 크레믈린

믈린에 가보면 생각이 확 달라진다.

강 위에서 보아도 '음흉하다'는 생각은 전혀 안 들고 아름답다는 생각만 든다.

사람들이 흔히 사용하는 말에 대해서는 사람들마다 그 어떤 느낌을 가지게 된다.

그런데 그 느낌이라는 것이 얼마나 부정확하고 편견을 띠고 있는가는 실제로 부딪쳐 봐야 아는 것이다.

천천히 가다보면 크레믈린의 성벽과 함께 그 유명한 바실리 사원도 보인다.

한편 앞쪽으로는 뾰족한 탑을 가지고 있는 스탈린 양식의 러시아호텔이 나타나고, 러시아 예술가들이 많이 산다는 아파트가 보인다.

예술인 아파트

12. 무슨 이름들이 이리도 어렵다냐?

2014.8.24. 일

반대편에서 오는 배의 옥상 위에는 러시아 아줌마들이 음악에 맞추어 춤을 추며 난리이다.

사람 사는 곳은 어디나 비슷하다.

이제 내릴 때가 된 것 같다. ;

1시간 반 정도의 모스크바 강 유람선 종착역인 끄라스노홀름스끼 선착장에 도착하기 위해 배를 돌린다.

이 선착장 맞은 편 모스크바 강 너머에 있는 건물이 아름답다.

이름도 모르는 건물이지만, 비행접시가 착륙한 듯한 지붕을 인 건물

끄라스노홀름스끼 선착장 맞은 편 모스크바 강 너머의 건물들

끄라스노홀름스끼 선착장 맞은 편 건물들

과 고깔모자를 쓴 듯한 건물 등이 서로 어울려 한 폭의 그림이 따로 없다.

나중에 구글 지도에서 알아보니, 뒤로 크게 솟아나와 있는 건물은 스위스 호텔 건물인 듯하고, 오른쪽 둥근 지붕을 가진 건물은 모스크바 국제음악원(Moscow International House of Music)이다.

그 앞 왼쪽의 건물들은 니코 드라이클린너스 건물과 시스코 시스템스 건물이다.

러시아 말을 몰라 제대로 번역했는지는 모르겠다만.

선착장에서 내려 구글 지도를 보니 가장 가까운 지하철역이 끄레스티얀스카야 짜스따바(Krest'yanskaya zastava) 지하철역이다.

무슨 지하철 이름이 이리도 길고 어렵냐?

우리나라 아파트 이름이 어렵다 해도 이렇게 어렵진 않을 거다.

나이든 시어머니가 찾아오지 못하게 하려고 며느리는 아파트 이름이 어려운 데로 골라 이사 간다는 우스개가 있다.

아마 러시아에서도 그런가?

이 지하철역 쪽으로 오면 시어머니도 시아버지도 역 이름을 못 외워 오지 못할 것이다.

노보스파스키 수도원

12, 무슨 이름들이 이리도 어렵다냐?

노보스파스키 수도원: 종

노보스파스키 수도원: 성당 안

우리나라 아파트 이름에 이런 지하철역 이름을 가져다 붙이면, 틀림없이 히트 칠 것이다.

지하철을 타기 위해 가는 길에는 공원이 있어 그쪽 그늘 길로 들어선다.

중간에는 못이 하나 있고, 나무 숲 너머로 노보스파스키 수도원(Novospassky Monastery)의 양파 지붕이 보인다.

가는 길에 쉬어간다고 수도원 안으로 들어간다.

커다란 종도 있고, 뉘신지는 모르나 두 사람의 동상도 있다.

성당 안에서는 역시 성화들을 본다.

한편, 촛대 앞에 많은 초가 꽂혀 있고 그 앞에는 십자가에 매달린 예수상이 있다.

수도원을 보고 나와 지하철을 탄다.

그리고 아샤으로 간다.

아샤이 이제 아주 단골이 되었다.

13. 시장은 여자를 위해서 존재하는 곳

2014.8.30. 토

아직도 주내 겨울옷이 준비가 안 되어 있다.

오늘은 크레믈린의 붉은 광장 앞 마네쥐 광장 지하의 몰로 간다.

마네쥐 광장으로 간다는 것이 극장 역 쪠아뜨랄나야 역 출구로 나와 버렸다.

밖으로 나오니 볼쇼이 극장이 눈앞에 보인다.

볼쇼이는 '크다'라는 뜻이니 '큰 극장'이라는 의미이다.

러시아 오페라와 발레 공연을 하는 극장으로 유명한 극장이다.

지하철 출구 왼쪽으로 있는 건물은 세계에서 처음으로 설립된 아동

볼쇼이 극장

전용 극장인 러시아청년 아카데미 극장이 있다.

볼쇼이 극장의 오른 편에는 국영백화점인 쥼이 있는데, 이 쥼 역시 굼과 마찬가지로 비싼 곳이다.

쥼 앞으로는 모스크바 최초의 드라마 극장이라는 말르이 극장이 있다.

이와 같이 극장들이 몰려 있기 때문에 지하철역 이름이 극장이라는 뜻의 쩨아뜨랄나야 역이다.

영어의 Theater를 러시아말로 철자 그대로 읽으면 테아테르이지만, 러시아인들은 강한 된 발음을 좋아하는 까닭에 쩨아뜨랄이 된다.

볼쇼이 극장 앞에는 분수가 하나 있다. 분수 옆을 지나 마네쥐 광장으로 간다.

마네쥐 광장 지하로 들어가 일단 아침 겸 점심을 먹는다.

그리고는 '자라'에 들어가 옷들을 본다. 마음에 드는 옷이 없는 모양이다.

여자들은 참 묘한 인간들이다.

시장에만 데려다 놓으면 하루 종일을 잘 보낸다.

남자들은 다리가 아파서 짜증이 나기 시작하는 데도, 여자들은 무에가 그리 흥이 나는지 만져보고, 입어보고, 벗어보고, 사지는 못하면서 그렇게 돌아다닌다. 싸건 비싸건 관계가 없다.

시장은 여자를 위해서 존재하는 곳이다.

만약 남자들 중 시장을 좋아하는 분이 있다면, 반드시 DNA 검사를 해보아야 한다. 성 정체성이 의심되기 때문이다.

나는 밖에 나가 렌닌 묘를 보고, 붉은 광장 주변의 성당들을 둘러보고 나중에 1시 반에 '자라'라는 상점 앞 의자에서 만나기로 했다.

혼자 밖으로 나오는데 비가 오락가락한다.

렌닌 묘 쪽으로 가기 위해 역사박물관 옆으로 가는데, 길을 다 막아 놓고 검색을 한다. 붉은 광장에 울이 쳐져 있다.

우산과 사진기만 들고 들어가니, 안에서도 렌닌 묘 쪽으로는 울을 쳐서 못 들어가게 해 놓았다.

저쪽에서는 이쪽으로 나올 수는 있는데, 이쪽에서 저쪽으로는 갈 수가 없다.

일단 사람들이 몰려 있는 가설무대 쪽으로 가니 가설무대 위에는 악단이 앉아 연주를 하고 그 밑에서는 두 쌍의 남녀들이 러시아 전통 의상을 입고 춤을 추고 있다.

붉은 광장: 민속춤

이런 건 주내가 좋아하는데…….

가서 주내를 불러오려다 만다.

이 춤이 언제까지 지속될지도 모르겠고, 주내를 찾아 시장을 방황하고 또다시 검문 검색을 하려면 줄을 서서 한참을 기다려야 하기 때문이다.

그냥 주내를 위하여 비디오 촬영을 한다.

무대 좌우에는 천막들이 쳐 있고, 그 중 하나는 어린이들을 위해 종이 접기 체험을 할 수 있는 천막이다.

다른 천막에는 조랑말이 두 마리 들어 있고 이 조랑말을 보거나 사진 찍는 사람들로 그득하다.

우리나라 제주도 조랑말을 보았을 때, 크고 잘 생긴 말이 떠올라 잘

붉은 광장: 조랑말

13. 시장은 여자를 위해서 존재하는 곳

생겼다는 생각은 하지 않았다.

그러나 여기에 있는 조랑말을 보니, 제주도의 조랑말은 정말 훌륭하게 잘 생긴 말이다.

그 옆 천막에서는 러시아 전통 의상을 입은 여자들과 전통 의상 등이 걸려 있고, 그 옆 천막 앞에서는 해군들이 총을 가져다 놓고 분해, 결합을 체험시키고 있다.

14. 무료 화장실 안내

2014.8.30. 토

이 광장에는 이 이외도 옛날 군복을 입은 사람들과, 동화 속의 나라에서 온 것 같은 의상을 입은 여자들이 모델이 되어 같이 사진을 찍어주고 있다.

아마도 무슨 '해군의 날' 또는 '해군 창설 몇 주년 행사장' 같기도 하다.

이 가설무대 옆의 울에는 높다랗게 의자들을 배치해 놓고 그 앞에는 토사를 깔아 놓은 넓은 운동장이 있는데, 큰 말들이 왔다 갔다 하는 것을 보니, 그 안에서는 아마 기마술 같은 것을 선보일 예정인 듯하다.

붉은 광장 주변 성당들

굼 백화점

올라가 앉아서 기다릴까 하였으나 의자에 빗물이 고여 그만 두고, 원래 의도했던 대로 바실리 성당에서 모스크바 호텔 쪽으로 있는 성당들을 구경하기로 했다.

바실리 성당 쪽에서도 검색을 한다. 밖으로 나와 성당 쪽으로 걸어가면서 구경을 한다.

낡은 성당 등 몇 개의 성당들이 있다.

큰길에 이르러서 되돌아간다.

검색하는 데를 피하여 굼 백화점으로 들어간다.

들어가자마자 왼편에 화장실표시가 나온다.

지하로 내려가니 화장실이 있는데, 어떤 할멈이 앉아 있다가 56루블이라고 그런다.

엥? 56루블? 비싸도 비싸도 너무 비싸다.

보통 20~25루블 정도 받으니 그 정도면 일을 보려 하였지만, 이 백화점 3층 저쪽 편, 그러니까 카잔 성당 쪽에 화장실은 무료라는 것을 이미 알고 있었기에 주저 없이 그냥 나온다.

이것이 정보의 힘이다.

이 글을 읽으시는 분들도 잘 숙지하시기 바란다.

굼 백화점 한 쪽 끝(그러니까 바실리 성당 반대 쪽, 역사박물관 쪽) 3층에는 무료 화장실이 있다는 사실을!

역사박물관

붉은 광장에 울타리를 쳐 놓아서인지 굼 백화점에는 손님이 별로 없다.

백화점에서 나와 마네쥐 광장으로 가려하니 다시 검색대를 통과한다. 저쪽

마네쥐 광장

으로 돌아가기 싫어서다.

검색대를 통과하여 들어갔다가 1분도 채 안되어 다시 검색대를 통과하여 마네쥐 광장 쪽으로 나오니 만나기로 한 시간보다 시간이 아직도 1시간이나 남아 있다.

15. 영웅도 죽으면 지 맘대로 못하는 것

2014.8.30. 토

마네쥐 광장 쪽에는 모래로 만든 잠자리 조각상이 있고, 역사박물관과 크레믈린 사이에도 울을 쳐 놓고 크레믈린 성벽 쪽에는 긴 줄이 늘어서서 입장을 기다리고 있다.

저리로 가면 렌닌의 시신을 볼 수 있을 것이다 싶어 가서 줄을 선다.

이 줄의 많은 사람들이 관광객이니 뭐라 할 입장은 못 되지만, 러시아 사람들도 군말 없이 줄을 선다.

공산주의 시절의 통제에 아주 체화된 듯하다. 항의하거나 건의할 줄

마네쥐 광장: 잠자리 조각

스탈린 묘

을 모른다. 한마디로 참 말 잘 듣는 국민들이다.

우리나라 같으면 난리 났을 것이다.

푸틴은 이런 점에서 참 행복한 사나이다. 어떤 정책을 시행해도 국민들은 무조건 복종하니까. 참으로 편한 통치자다.

들어가기 전 크레믈린 붉은 벽 아래에는 무덤들이 도열해 있고, 무덤의 주인공들 두상이 죽 놓여 있다.

렌닌 묘 근처까지 죽 있는데, 스탈린의 두상이 눈에 뜨인다.

드디어 입장이 허락되어 검색을 한다.

이제 렌닌 묘에 들어선다.

12계단을 내려가면 다시 10계단으로 이어지고 컴컴한 지하에 군인들이 총을 들고 지키는 가운데, 엄숙하게 나아가면 렌닌의 시신이 중앙

렌닌 묘

에 놓여 있다.

사람 같지 않고 마치 마네킹을 전시해 놓은 것 같다는 인상을 풍긴다.

렌닌이 죽었을 때, 렌닌의 주검을 보존하기 위해서 당시의 유명한 해부학자와 생화학자 셋이서 방부제 처리를 하였다고 한다.

그렇지만, 저렇게 누워 있는 렌닌은 행복할까?

흙으로 돌아가지 못하고, 뭇사람들의 구경거리가 되는 것을 본인은 원할까?

물론 당국자들은 위대한 렌닌을 존경하는 마음으로 참배한다고 선전하겠지만, 관광객들에겐 그저 구경거리일 뿐인데……

얼마 전 땅에 매장하자는 주장이 있었으나, 공산당의 강력한 반대로 무산되었다는데, 영웅도 죽고 나면 지 맘대로 할 수 없는 것이고, 결국 후인들의 이익을 위한 들러리로 전락하는 것 아닌가!

이런 몹쓸 짓을 공산주의 국가들이 그대로 따라하고 있다.

마치 동네 개가 한 마리 짖으면, 다른 개들도 덩달아 짖어대는 것처럼!

북한의 김일성 김정일은 물론 호지명 씨까지 그 유체를 보존하여 국민들이 참배하도록 하고 있는 것이다.

김일성, 김정일이야말로 살아있을 때 워낙 못된 짓을 많이 했기에 인과응보라 생각하나, 호지명 씨 같은 분은 정말 안 되었다는 생각이 든다.

여하튼 공산당들은 쓰잘 데 없는 짓을 하는 집단이라는 생각이 든다.

불쌍한 렌닌!

16. 마음이 변하기 전에 카드를 내민다.

2014.8.30. 토

렌닌 묘를 나와 마네쥐 광장의 지하 몰로 가 주내를 만난다.

주내는 아직도 옷을 못 샀다.

맘에 드는 것이 없었느냐니까 맘에 드는 것보다 그냥 보아둔 것이 있다며 같이 가잔다.

가 가지고서는 무조건 어울린다며 주내 마음이 변하기 전에 카드를 내민다.

결국 옷 사는 데에 성공했다. 만약 그러지 않았으면 오늘도 겨울옷을 못 샀을 것이다.

마네쥐 광장 지하 몰

혁명 광장 쪽의 성당

이제 옷 보따리를 들고 한국 음식점 '김치'를 찾아가야 한다.

혁명광장 역이라는 뜻의 쁠로싸드 레볼루찌이(Ploschad' Revolyutsii) 역 쪽에서 밑으로 가다가 죄회전하여 골목으로 가다보면 그 끝에 한국 음식점 '김치'가 있다.

외국에 있어도 고국의 입맛만큼은 절대로 잊어서는 안 된다는 주내의 간곡한 주장에 동조하여 붉은 광장에서 100미터 떨어져 있다는 '겨레 신문'의 광고판만 보고 찾아가는 것이다.

붉은 광장의 검색대를 통과할 필요는 없을 것 같아 검색을 피해, 혁명광장 역으로 간다.

혁명광장 역 앞에는 보지 못 했던 성당이 있다.

그 성당을 지나 드디어 한국 식당 '김치'로 들어간다.

안으로 들어갔더니 지하방으로 안내를 한다.

한국인 주인은 역시 안 보이고, 현지인 종업원들만 왔다 갔다 한다.

한국 식당인데도 한국말을 잘 못 알아듣는다.

기타이-고로드 역: 플레브나 예배당

마침 저쪽 좌석에 앉아 있던 한국 여성이 와서 통역을 해준다.

나중에 알고 보니, 주인은 한국 사람이 아니란다. 러시아 사람이 한국 요리사를 고용하여 운영하는 음식점이다.

시내 중심가라서 그런지 가격이 많이 비싸다. 코르스톤 호텔보다 조금 더 비싸다.

음식값이 비싼 만큼 실내도 정결하고 깨끗한 일류 음식점이다.

16. 마음이 변하기 전에 카드를 내민다.

점심 겸 저녁을 먹고 기타이-고로드(Kitay-gorod) 지하철역으로 간다.

그러니까 이 음식점은 기타이-고로드 역과 쁠로싸드 레볼루찌이 역의 딱 중간에 있는 것이다.

기타이-고로드 역 역에는 플레브나 마을의 전투에서 터키 군을 물리친 용사들을 기념하여 세워 놓은 영웅기념비이자, 작은 예배당으로 쓰이는 플레브나 예배당(Plevna Chapel)이 있다.

겉으로 보기에는 그냥 기념탑처럼 생겼으나, 이곳에서 예배를 보기도 하는데, 일 년에 120일 정도 열려 있다고 한다.

지금은 닫혀 있어 내부로 들어가 보지는 못했으나, 가이드에 의하면 아름답다고 한다.

17. 어느 순간 바랄 게 없다면, 그게 행복이다.

2014.8.31.일

일찍 집을 나서 녹색 노선인 꼴로멘스까야(Kolomenskaya) 지하철역에 도착한 것은 10시가 채 못 되어서였다.

꼴로멘스꼬예(Kolomenskoye) 공원을 구경하고, 참새 언덕을 조망하는 것이 오늘의 목표이다.

꼴로멘스꼬예는 제정 러시아 시대에 황제와 귀족들의 별장이 들어서 있는 곳으로서 경치가 좋은 곳이다.

지하철에서 나와 길을 묻는다.

책에는 바로 공원이 보인다고 했는데, 전혀 그렇지 않다.

꼴로멘스꼬예 공원: 숲

꼴로멘스꼬예 공원: 자작나무 숲

물어보니 지하도를 건너 죽 걸어가면 공원 입구가 나온다 한다.

지하도를 건너가다 보니 오른쪽에 조그마한 옷가게들이 늘어서 있는 가운데, 빵가게가 있다.

빵 굽는 냄새가 아주 좋다.

배가 고프면, 빵 냄새를 더 잘 맡는다. 그리고 냄새도 더 맛있는 냄새로 맡아진다.

무의식중에 우리의 먹고 싶은 욕구가 잠재해 있으면서 그렇게 영향을 미치는 것이다.

빵을 두 개 사가지고 뜯어 먹으며, 공원을 향해 걷는다.

우리는 서로 보고 웃는다. 행복이 별거 아니다. 순간순간의 만족이 행복이다.

어느 순간 바랄 게 없다면 그게 행복이지 뭐!

그런 점에서 욕심이 많은 사람은 그만큼 행복을 느끼기 힘든 불행한 사람이다.

꽤 걸어서야 공원 입구에 다다랐다.

그렇다고 많이 걸은 것은 아니다. 한 10분 걸었을까, 어쩌면 10분도 안 되었을 것이지만, 책에는 바로 공원이 보인다고 해 놓았으니 더 멀게 느껴지는 것이다.

공원으로 들어가니 꽃밭이 우릴 맞는다.

그리고 저 너머로 숲이 잘 우거져 있다.

숲길을 걸어가면, 큰 양파를 두 조각으로 갈라놓아 지붕에 붙인 듯

꼴로멘스꼬예 공원: 카잔 성당

꼴로멘스꼬예 공원: 성당 입구

한 문이 나오고 그 문을 들어서서 가로수를 지나가다보면, 왼편에 교회가 있다.

카잔 성모 교회인데, 파란색의 양파 지붕에 파란 별과 흰 별들을 오돌도돌하게 붙여 놓은 것이 아름답다.

18. 동화 속의 알렉세이 궁전

2014.8.31.일

다시 가로수를 더 지나가면 성문이 나온다.

그 문에 들어서면, 하얀 색의 커다란 교회가 나온다.

이 성당은 예수승천교회인데 1994년 세계문화유산으로 등록된 팔각형의 하얀 교회이다.

참으로 볼만한 건물이다.

오른쪽으로는 종루와 부속 건물들이 있다.

성당 안으로 들어가 보려 하였으나, 마귀할멈 같은 할멈이 의자를

꼴로멘스꼬예 공원: 예수승천교회로 들어가는 성문

예수 승천 교회

놓고 앉아 있다가 표를 사가지고 오란다.

미사를 보는 사람들은 그냥 들어가는데, 동양인인 우리는 관광객임을 금방 알아채기 때문이다.

성당에서 저 밑으로 내려가면, 모스크바 강이 보이는 전망 좋은 언덕이다.

언덕에서 오른쪽으로 길을 걸어가다가 언덕을 내려간다.

언덕 밑으로는 두 개의 못이 있고, 못 주위의 나무가 늠름하니 멋있다. 강 쪽으로 가서 모스크바 강을 따라 잠시 걷는다.

산책하러 나온 사람들이 많다.

그렇지만 강가 쪽으로는 교회는 없는 듯하다.

못 주위의 늠름한 나무

사과밭

18. 동화 속의 알렉세이 궁전

다시 언덕을 올라 빵모자를 쓴 듯한 교회를 찾아간다. 16세기에 지은 세례자 요한 성당이다. 이 교회의 정식 명칭은 세례자 요한 참수 교회(Church of the Beheading of John the Baptist)이다.

여기에서부터 사과밭이 시작된다.

굉장히 넓은 면적에 사과들이 열려 있는데, 사람들이 한 손에 장대를 들고 한 손엔 푸대를 들고, 사과를 딴다.

사과밭 관리는 하는 모양인데, 아마도 그냥 따가도 되는 모양이다.

장비가 없는 우리는 사과를 딸 수가 없다.

키가 닿는 곳은 사과가 없고, 더욱이 잘 익은 사과는 저 멀리 태양 가까이 있으니 구경만 할 수밖에.

한참 걷다 보니, 동화의 나라가 등장한다.

알렉세이 미하일로비치 궁전

알렉세이 궁전

알렉세이 궁전 중간 모습

18. 동화 속의 알렉세이 궁전

알렉세이 궁전 중간: 통나무 굴

알렉세이 미하일로비차(Alekseya Mikhaylovicha) 궁전이라는 곳인데, 박물관으로 쓰고 있다.

통나무로 지은 정말 아름다운 목조 건물인데, 입장료는 300루블이다.

양파 지붕 머리며 뾰족한 모자를 쓴 것 같은 지붕이며, 이들이 어울려 동화 속의 건물에 온 듯한 느낌을 준다.

건물 사이로는 통나무로 된 문도 있고 굴도 있고 그 뒤로는 건물들이 좌우, 앞뒤로 연결되어 있다,

이층으로 올라가는 계단도 있고, 까페도 있다.

겉모습도, 그리고 건물의 중간 모습도 아름답다.

중간 모습이란 안 모습도 아니고 겉모습도 아니어서 지어 붙인 이름

알렉세이 박물관 양파머리: 청소

알렉세이 박물관

18. 동화 속의 알렉세이 궁전

이다.

안은 박물관으로 사용되는 곳이고, 겉은 바깥에서 본 건물 모습이고, 중간 모습은 건물들이 이어져 있는 가운데의 모습을 말한다.

건물 중간으로 들어가 밖으로 나오니, 이쪽에서 보는 겉모양은 저쪽에서 본 겉모양과는 또 다르다.

지붕 위에는 사람들이 매달려 청소를 하고 있다.

참으로 아름다운 건물이다.

건물 밖에 안내판의 지도에는 이 건물에서 얼마 되지 않은 곳에 지하철역이 표시되어 있다. 꼴로멘스카야 역 다음 역으로 까쉬르스까야(Kashirskaya) 역이다.

알렉세이 궁전을 보려면 오히려 이 역이 훨씬 가깝다.

꼴로멘스카야 역이든 까쉬르스까야 역이든, 어느 역이든 내리면, 이 꼴로멘스꼬에 공원과 알렉세이 궁전을 보고 지하철을 탈 수 있다.

모스크바에서 본 곳 중, 꼭 권하고 싶은 한 곳이다.

19. 판단은 수위 몫, 판단하게끔 하는 것은 나의 몫

2014.8.31.일

녹색 노선의 까쉬르스까야(Kashirskaya)에서 지하철을 타고 모스크바 대학으로 향한다.

버스를 탔으면 좋겠는데—왜냐하면 버스를 탄 채 시내 구경을 할 수 있기 때문이다.— 젊은이들에게 물어봐도 모스크바 대학으로 가는 버스 노선을 아는 사람들이 없다.

여기에는 쌩 빼쩨르부르그처럼 버스 정류장에 버스 노선도 표시되어 있지 않다.

묻는 사람들마다 지하철을 타고 가라고 한다.

지하철이 빠르고 편한 것은 알겠으나, 컴컴한 굴속으로만 달리는 것은 취향에 맞지 않는다.

물론 지하철에서도 볼 것은 많다.

지하 깊숙이 들어가 있는 에스컬레이터며, 갈아타는 통로와 플랫폼의 벽과 천정의 장식이 다 다르고 볼 만하다. 한마디로 예술적이다.

지하철을 갈아타고 참새 언덕으로 가서 모스크바 대학을 거쳐 코르스톤 호텔에 가 한국 식당을 찾을까 했으나, 붉은 색 노선의 참새 언덕이라는 지하철역(Воррбёвые горы 보르비요비 고르이)의 다음 정거장이 대학역이라는 뜻의 우니베르시쩨뜨(Universitet) 역임을 발견하고 진로를 수정한다.

아무래도 참새언덕을 기어 올라가느니, 모스크바 대학에서 참새언덕으로 내려오는 것이 훨씬 나을 듯해서이다.

이러한 예상은 맞았다.

지하철은 모스크바 강 한 가운데 선다. 강 한 가운데 다리 위에 역을 만들어 놓은 것이다. 이곳이 참새 언덕 역이다.

우리는 물론 내리지 않는다.

그리고는 굴속으로 다시 들어가는데, 대학 역까지 한참 간다.

우리가 잘못한 걸까?

대학 역과 모스크바 대학은 멀리 떨어져 있는 모양이다. 그러면 한참 걸어야 할 모양인데…….

땅 속에서 이런 걱정을 하였으나, 땅위에서 이 걱정은 기우였다

지하철역에서 나와 보니 바로 코앞에 모스크바 대학 교정이 보인다.

여기에선 저쪽으로 멀리 스탈린식 뾰족한 윗대가리만 보이지만, 저것

지하철 대학 역

이 분명 모스크바 대학 본관 건물일 것이다.

모스크바 대학이 명문인 것은 말 안 해도 알 것이고, 본관 건물에 관해 이야기하자면, 높이가 240미터이고, 정면의 길이가 450미터로서 45,000개의 강의실이 들어 있다고 한다.

일단 길을 건넌다.

건너편의 체육관 비슷한 건물을 사진기에 담고, 쇠기둥으로 된 울을 따라 뾰족탑이 있는 방향으로 나아간다.

얼마 안 가 교정으로 들어가는 중간 문이 나온다.

모스크바 대학의 교정은 숲으로 이루어져 있다. 큰 나무들이 보기 좋게 우거져 있고, 산책하거나 데이트하기 좋은 환경을 만들어 주고 있다.

모스크바 대학 교정

19. 판단은 수위 몫, 판단하게끔 하는 것은 나의 몫

모스크바 대학 본관 뒷모습

건물 안에는 들어가지 않고 계속 본관 건물을 향해 나아간다.

또 다른 울을 지나니 큰 대로가 나오고, 그 길을 건너니 본부 건물이 서 있다.

이 건물의 뒤쪽 한 가운데에 들어가는 문이 있다.

학생들이 학생증을 보여주고 들어간다.

내가 들어가려 하니 투어리스트는 안 된다고 막는다.

내가 교수라면서 관광서비스대학 신분증을 보여주니, 한참 보더니만 뭐라 뭐라 하면서 안 된다 한다.

제 딴에는 한참동안 거절할 구실을 생각해낸 듯하다.

아마도 모스크바 대학 교직원증이나 학생증이 아니라서 안 된다고 하는 듯싶다.

대학에서 일하는 사람으로서 그 안에 들어가 보고 싶기는 하나, 굳이 안 된다는 것을 억지로 우기면서까지 들어갈 필요는 없겠다 싶어 이 건물의 앞쪽으로 가기 위해 건물을 빙 돌아간다.

내가 만약 넥타이 매고 점잖게 나왔으면, 경비의 태도가 달라졌을 것이다.

만약 이 대학 총장이라도 만나러 온 사람 같으면 지가 어쩌려고?

허름한 옷차림에 사진기를 들고 있으니 관광객이라 생각하고, 자기 권한으로 막을 수 있다고 판단하여 거절하는 것이다.

그것도 자기 권한이라고!

판단은 수위 몫이지만, 판단하게끔 하는 것은 나의 몫인 것이다.

별건 아니지만, 아무튼 옷이 날개이다!

모스크바 대학 본관 앞모습

19. 판단은 수위 몫, 판단하게끔 하는 것은 나의 몫

가다보니 어떤 분이 주내와 이야기하고 있다.

다가가니 명함을 내밀며 악수를 청한다.

명함을 보니 물리학과 교수이며, 생물리학과장이다. 나도 명함을 건넨다.

이 분이 학교 건물을 소개해 준다.

본부 건물의 가운데에는 제일 높으신 분부터 보직을 맡은 교수들의 사무실이 들어 있고, 네 귀퉁이의 건물들은 교수 연구실이라 한다.

이 건물에는 수학과, 지리학과, 물리학과 등이 있고, 정치학과와 사학과 등은 다른 건물에 있다고 한다.

이 교수가 만났으면 좋았을 분을 내가 만난 것이다. 이 교수 생각이 절로 난다.

20. 헥헥거려야 운동이 되긴 된다.

2014.8.31.일

다시 건물 앞쪽으로 이동하여 사진기를 들이대나, 이 건물이 북향이어서 사진 속에는 까맣게 나올 뿐이다.

본관 건물 앞부분에는 큰 못에 분수가 설치되어 있고, 그 옆으로는 유명한 학자들의 동상이 죽 세워져 있다.

언뜻 보니 멘델레프의 동상도 보인다.

나하고는 별로 친하지도 않은데, 유독 멘델레프만 눈에 뜨이는 이유가 무엇일까?

혹 전생에 무슨 인연이라도 있었능가?

모스크바 대학 본관 건물 앞

멘델레프 동상

분수가 물을 뿜으면 그야말로 멋있을 것이다.

그 밖으로는 숲이 우거져 있다.

그리고 이곳은 그 이름답게 정말로 참새들이 많다.

참새 언덕 쪽으로는 큰 길이 있고, 그 길 넘어 가기 전에, 젊은이들이 리모컨으로 자동차 경주를 하고 있다.

참새 언덕에서는 모스크바 강과 모스크바 시내가 한 눈에 보인다.

과연 전망이 좋다.

수많은 관광객들이 몰려 있다.

옆으로는 스키 점프대도 보인다.

그리고 모스크바 강 너머로 1980년 모스크바 올림픽이 열렸던, 10

스키 점프대

만 명이 들어갈 수 있다는 루쥐니키(Luzhniki) 경지장이 보인다.

그나저나 배가 고프다.

여기에서 코르스톤 호텔까지 가려면, 한 10분 걸어야 하는데, 주내 말로는 햄버거라도 하나 먹고 가자 한다.

키오스크(길거리에 세워 놓은 간이가게)에 들어가 소세지 든 빵 하나만 시켜서 둘이 먹고, 코르스톤에서 한식을 먹으려 했는데, 어디 그게 뜻대로 되나?

옆 자리의 학생이 감자 삶은 것을 치즈에 으깨고 그 위에 이것저것을 얹어 먹는 것을 보니 군침이 돌아, 그것도 시킨다.

옆의 학생이 통역을 해 준다. 큰 감자 찐 것이 85루블인데, 그 위에 얹은 것이 40루블씩 세 개로 120루블이다.

20. 헥헥거려야 운동이 되긴 된다.

배보다 배꼽이 큰 셈이지만, 그리고 이름은 정확하게 모르지만, 정말 맛있고 배부르게 먹었다.

이제 한식이고 뭐고 전혀 생각이 없다. 들어갈 때 생각하고 나올 때 생각하고는 다른 것이다.

본래 그런 것이다.

뒤로 미루다가는 상대방의 생각이 어떻게 바뀔지 모른다.

그러니 기회가 있을 때, 때를 놓치지 말아야 한다.

배가 부르니 안 가도 되지만, 고추장이라도 사야 한다기에 코르스톤으로 일단 간다.

〈서울식당〉은 호텔과는 떨어져 있는 별채인데, 들어가는 입구부터 우리 식으로 치장을 잘 해 놓았다.

루쥐니키 경기장

들어서니 바로 조그마한 식품 판매대가 있고 그 안쪽으로는 홀과 방등이 있다.

홀 쪽으로 가니, 계산대에서 한국말로 인사를 한다.

한국말을 잘 하여 이집 안주인인가 했더니 종업원이란다.

성격이 씩씩하고, 싹싹하고, 시원시원하다. 참 종업원 하나 잘 뽑았다 싶다.

붉은 광장 근처의 〈김치〉에서는 종업원들이 우리말을 잘 몰라, 조금 그랬는데, 여기 종업원들은 우리말을 잘 알아듣고 말도 잘한다.

고추장과 미역을 한 다발 사가지고, 참새 언덕 역으로 간다.

모스크바 강으로 내려가는 길은 걷기에 좋다.

그렇지만 저 밑에서 올라오려면, 조금은 헥헥거릴 게다. 허긴 헥헥거

코르스톤 호텔

20. 헥헥거려야 운동이 되긴 된다.

려야 운동이 되긴 된다.

그래서 권한다. 운동을 하시고 싶은 분들만 참새언덕 역에서 내려 걸어 올라오시라고!

그렇지만 신체 허약하신 분들이나, 나중을 위해 체력을 비축하셔야 하실 분들은, 어차피 모스크바 대학을 구경하여야 할 거니까, 참새 언덕에서 내려 괜히 헉헉대지 마시고, 대학 역에서 내리시길!

대학 역에서 내려 모스크바 대학 교정을 점잖게 산책하며 관광한 다음, 참새 언덕으로 가서 모스크바 시내를 조망하시라!

그리고 고향의 맛을 잊지 못하시는 분들은 조금 비싸지만 코르스톤 호텔에 있는 한국음식점(많음)에서 식사를 하시고, 감자를 좋아하시는 분들은 우리처럼 감자를 사서 드시고, 참새 언덕 역으로 내려가 지하철을 타시라고!

21. 러시아인의 예술 감각

2014. 9. 6 토

오늘은 모스크바의 날이란다.

그래서 많은 행사가 열릴 거라며, 모스크바 시내 구경을 하라는 말을 듣고, 아침부터 길을 나선다.

일단 읽기도 어려운 지하철역 브데엔하(ВДНХ: 주황색 노선)에서 내린다.

이곳에는 러시아박람회가 열린 곳이 있고, 오스탄키노(Ostankino) 궁전과 오스탄키노 타워가 있기 때문이다.

지하철역을 나오니 우선 눈을 끄는 것이 로켓이 올라가는 모습을 형

로켓 조형물

로켓과 태양계

상화한 커다란 구조물이다.

참으로 멋진 조형물이다.

이 쏘아올린 로켓을 형상화한 예술 작품의 옆 벽에는 조각되어 있고, 맨 앞에는 아마도 우주 개발에 이바지한 사람으로 추정되는 동상이 하나 있다.

그 앞으로는 태양계를 형상화한 조형물이 있고, 꽃밭에는 로켓이 올라갈 때를 형상화한 대리석 조각들이 나열되어 있다.

또한 좌우에는 우주를 탐험한 우주인들로 추정되는 인물들의 조각이 있다.

여하튼 참 잘 꾸며놓은 공원이다.

일단 오스탄키노 타워가 있는 쪽으로 걸음을 옮긴다.

분수

537미터의 텔레비전 탑이라는데, 올라가면 전망이 좋을 것이라는 생각에서였다.

그러나 그러한 생각도 잠시, 많은 사람들이 몰려간 곳인 러시아박람회장부터 보기로 했다.

이곳은 옛날에 박람회가 열린 곳으로서 우주관과 원자력관이 볼만하다고 책에 나와 있는 것으로 보아, 아직도 전시를 하고 있는 건물들이 남아 있을 것으로 추정되기 때문이다.

또한 박람회장 앞에 장이 선다는 말도 있다. 그렇지 않으면 웬 사람들이 이리 많이 그쪽으로 갈까?

발길을 돌려 박람회장으로 행하는데, 뱃속이 아침을 달라 한다.

마침 KFC가 있어 들어가, 닭 몇 쪼가리로 배를 채운다.

21. 러시아인의 예술 감각

늘 돌아다녀보지만, 먹는 것이 우선이다. 보는 것보다는!

배를 채우고 박람회장 입구로 가니 천막을 쳐놓고 장이 서 있다.

장에서는 꿀, 과일, 잼 등등을 팔고 있다. 아마도 집에서 만들어 가지고 온 물건들인 듯하다.

정문으로 들어서니 전시했던 옛 건물들과 분수들, 그리고, 산책하기 좋은 공원 등이 눈앞에 전개되는데, 우와 넓기도 넓다.

우선 분수가 너무 화려하다.

마치 꽃 봉우리가 피어나는 듯한, 왕관 비슷한 조형물 위로 물이 솟아오르고, 그 주위로 황금칠을 한 동상들이 열댓 개 늘어서 있는 분수이다.

그 분수 뒤로 저쪽의 건물 역시 화려하다.

분수와 조형물

이 건물도 분수의 왕관과 같은 형상을 한 조형물이 옥상 위에 있다. 분수와 같은 형태가 첩첩으로 있는 것이다.

너무 멀어 가까이 가면서 확인해보면 알 수 있다.

이 분수의 오른편으로는 로마시대의 신전 비슷한 건물과 그 앞에 기둥으로 구성된 건물이 멋있게 서 있다.

어디에 쓰는 건물인고?

건물 벽 장식

이렇게 호사스런 예술품 뒤에는 수많은 인민들의 피와 땀이 스며 있는 것이다. 저들의 희생 없이 이런 호사가 가능했을 것인가?

분수와 궁전뿐만이 아니다.

계속 앞으로 나아가면서 건물 벽을 살펴보니 벽에도 많은 장식들이 아름답게 되어 있다.

21. 러시아인의 예술 감각

건물 벽 장식

러시아인들에게 날이 갈수록 감탄할 수밖에 없는 것은 이들의 뛰어난 색채감과 조형감이다.

궁전이나 성당 건축물의 양파머리뿐만 아니라 고깔모자 형태의 지붕 모양과 이들을 잘 어울리게 조화시켜 놓는 재주가 있다.

또한 색채 감각도 탁월하다.

집을 하나 짓더라도 벽과 지붕색깔을 맞추어 아름답게 보이도록 한다.

화려하긴 해도 천박하진 않고, 색들이 서로 개성을 발휘하면서도 서로 어울린다.

또한 집의 처마나 기둥이나 벽 등에도 장식이 요란하지만, 결코 난하지는 않고 아름답다.

이러한 색채감과 조형감이 발달하게 된 연유도 제정 러시아 시대 왕과 귀족들의 취미에서 비롯된 것이라 할 수 있다.

결국 왕과 귀족들의 취미가, 아니 사치와 향락이 이러한 예술품을 만들어냈고, 그것이 러시아인들의 눈높이를 높게 만든 것이라 할 수 있다.

그러니 저 아름다운 분수나 건물의 뒤에는 수많은 사람들의 희생이 뒤따른 것이었음을 짐작할 수 있어야 한다.

물론 그것을 즐기는 것이 더 중요하지만.

우리는 흔히 좋은 작품이나 좋은 물건이 있으면, 그것만 좋아하지 그 뒤에 숨은 노력은 생각하지 않는 경향이 있다.

만약 그 뒤의 숨은 노력과 희생을 생각한다면, 너무너무 감사하게 생각할 텐데…….

그리고 늘 감사와 함께 그런 물건을 좀 더 잘 쓸 텐데…….

22. 러시아의 견우, 직녀는 어디 갔나?

2014. 9. 6 토

우주관을 찾아 계속 앞으로 직진한다.

주변의 건물들은 옛날에는 무엇인가를 전시했을 것이지만, 이제는 몇몇만 빼고 카페나 기념품점으로 바뀌었을 뿐이다.

이 분수 뒤의 건물 뒤에는 뒤집어 놓은 집이 있다.

어린이들이 좋아한다. 입장료가 200루블이다.

물론 안에 들어가 보아야 별 볼 것은 없지만, 사람들은 줄을 지어서 있다.

우주관이 어디인지는 잘 모르지만, 이정표를 세워 놓은 간판에서 별

뒤집어 놓은 집

로켓과 분수

들을 그려놓은 것이 우주관이라 생각하고, 두 번째 분수 쪽으로 간다.

이 분수 또한 특이하다.

쏘아 올리기 전의 로켓을 형상화한 조형물이 분수 가운데에 있기 때문이다.

주변에는 항공기들이 놓여 있다.

이 로켓 뒤의 건물이 우주관이려니 생각하고 들어갔으나, 전시된 옛날 자동차들만 눈에 뜨인다.

이 건물 뒤로 돌아 가 본다.

문 앞을 지키는 사람에게 물어보니 수리 중이라고 하는 듯하다.

어찌되었든 뒤로는 들어갈 수 없고, 앞으로 돌아 들어가 보라고 한다.

나중에 알고 보니 그 건물은 자동차 등을 전시한 기계관이었다.

일단 앞으로 계속 나아간다.

앞으로 나아가면 오른쪽은 황소의 고삐를 잡아당기고 있는 사람의 동상이 지붕 위에 있는 건물이 나온다.

황소를 붙잡고 있는 저 남자는 누구인가?

누구인지는 잘 모르겠고, "러시아의 견우"라고나 할까?

그렇다면 직녀는 어디에 있을까?

맞은편 빌딩을 아무리 쳐다봐도 직녀는 보이지 않는다. 혹시 안에 있는감?

들어가 보니 청년 한 사람이 앉아 있다가 보여주는 전시물이 없으니

황소 동상

나가라 한다. 물론 말은 잘 안 통한다. 눈치가 그렇다는 것이다.

직녀는 못 찾고 건물 천정만 보고 그냥 나온다.

그리고 계속 앞으로 가면, 조그만 호수가 나오고, 물론 그 가운데에는 조형물이 있고, 호수 앞은 음식점이다.

호수에서는 보트를 타고 있다.

더 나아가 봐야 다리만 아플 것 같아 되돌아 나가면서 우주관을 다시 찾기로 했다.

오스탄키노 탑

되돌아 나와 기계관을 지나, 다시 왼쪽 옆으로 가다보면, 여러 건물들도 나오고 천막 치고 연주하는 사람들도 있고, 여하튼 사람들이 무지 많다.

넓기도 엄청 넓다. 만보기를 보니 벌써 15,000보가 훨씬 넘었다.

다시 입구 쪽

키다리 아가씨와 풍선

으로 나오는데, 밑에다 나무를 대고 걷는 처녀들 두 명을 만난다.

아래는 둥그런 흰색 통치마를 입은 키 큰 처녀들이 풍선들을 한 묶음 들고 걸어 다닌다.

저쪽으로 가는 것을 붙들고 사진을 찍는다.

그러자 풍선을 하나 준다.

주내도 하나 얻어 두 개를 묶어 어린애처럼 좋아라 손목에 차고 돌아다닌다.

23. 무엇이든 먼저 해야 사람들은 기억한다.

2014. 9. 6 토

우주관이 어디에 있는지를 물어보니, 공원 밖 지하철 역 옆에서 본 쏘아올린 로켓 조형물의 지하가 우주관이라 한다.

밖으로 다시 나와 우주관으로 간다.

들어가려니까 표를 끊어 오란다.

표를 끊으러 갔더니, 200루블이라 쓰여 있어 400루블을 내려고 하니, 돈은 안 받고 표만 주면서 오늘은 무료라 한다.

다른 말은 못 알아들어도 이런 건 기가 막히게 잘 알아듣는다.

이런 고마울 데가! 아마도 오늘이 '모스크바의 날'이라 그런 모양이

러시아 박람회장

우주선

다.

이럴 거 같으면 매일 '모스크바의 날' 했으면 좋겠다.

400루블을 절약한 셈이다.

기분 좋게 표를 내밀고 안으로 들어가니, 우주인들이 쓰던 물건들과 우주에 쏘아올린 인공위성 등을 전시하고, 큰 무대에는 지구를 상형화한 큰 조형물과 그 앞에 선 우주인의 조각이 있고, 그 앞에는 예날 처음 우주에 갔을 때 사용된 우주선 모형이 놓여 있다.

그 옆으로 통로가 있어 들어가니, 아까 아침에 본 쏘아올린 로켓 광장의 지하로 연결되다.

여기에는 실제 우주에 쏘아올린 인공우성과 우주인이 타고 간 우주선이 놓여 있고 그 안을 볼 수 있게 해 놓았다.

빙 돌아가다 보면, 아래층으로 내려가는데, 여기에는 소유즈 우주선과 로켓이 달린 우주선 등이 전시되어 있다.

저 작은 공간에 혼자 앉아 우주로 쏘아 올릴 때 우주인의 마음은 어땠을까?

본인은 어쩔 수 없이 운명을 받아들일 수밖에 없는 상황에서 선택의 여지가 없었을 것이지만, 어찌되었든 그렇게 우주로 나갔다가 돌아온 것은 정말 용기 있는 일이고, 대단한 일 아닌가!

아무리 생각해도 대단하다.

진정 영웅은 영웅이구나!"라는 생각이 든다.

지금까지 우주에 갔다 온 사람들을 죽 사진으로 진열해 놓았는데, 생각보다 꽤 많다

행성 탐험 장비

23. 무엇이든 먼저 해야 사람들은 기억한다.

우주선

그래도 기억되는 건 처음에 갔다 온 사람이다.

처음 우주로 갔다 온 사람이야말로 진정 용기 있는 사람이라 아니할 수 없을 것이기 때문이다.

사실 무엇이건 제일 먼저 한다는 것은 아무나 할 수 있는 일이 아니다.

무엇이든 먼저 해야 사람들이 기억한다.

이는 과학이나 예술뿐만이 아니다.

뒤에 하는 사람은 앞에 처음 한 사람의 뒤를 잇는 것으로만 기억될 것이다.

그러니 무엇이든 처음에 하라! 처음에 해야 한다.

처음에 하기는 무엇보다 힘든 법이다.

러시아 박람회장: 장터

창의성이 있어야 '처음'을 할 수 있는 것이다. 용기가 있어야 '처음'을 할 수 있는 법이다. 믿음이 없이는 할 수 없는 것이다.

이제는 대기권 밖에 우주정거장을 건설하고 그곳에 우주인이 일 년씩 이 년씩 있으면서 실험도 하고, 생활도 하고 있지만, 이거 역시 쉬운 일은 아니다.

여하튼 우주관은 잘 만들어 놓은 것이다.

러시아의 우주과학이나 우주 항공 능력은 정말 대단한 것이다.

우리는 언제나 이를 따라잡을 것인가?

23. 무엇이든 먼저 해야 사람들은 기억한다.

24. 팁을 주어야 하나? 말아야 하나?

2014. 9. 6 토

우주관의 로켓 등을 구경하느라, 벌써 시간이 4시가 다 되었다.

밖으로 나오니, 페루에서 온 잉카인의 후예들이 깃털장식을 한 의상을 입고 생황을 불며 춤을 추고 있다.

한때는 휘황찬란한 잉카 문명을 일으켰던 저들이 왜 이런 꼴이 되었을까?

백인들의 침입에 싸움 한 번 아니하고, 남자들은 멸족되다시피 한 후 여자들만 살아남아 침략자인 백인들과 사이에 저들을 두었는데, 왜

러시아 박람회장: 잉카의 후예

역사가 그렇게만 돌아갈까?

선이 악을 이기지 못하고, 악이 판을 치는 것이 이 세상이라지만…….

한때의 영화가 이어지지 못하고 부침이 순환되는 것이 세상의 이치라지만, 그 후손들이 이제 러시아까지 진출하여 자기들 선조들의 의상을 입고, 생황을 불어대며 구걸을 하고 있는 것이다.

이제 지하철을 타고 아샨으로 갈 일이다.

이 지하철, 브드엔하라 했던가, 여하튼 발음이 어려운 이 지하철은 지금까지 본 지하철 가운데, 가장 깊은 지하철인 모양이다. 오르내리는 에스컬레이터가 한참을 내려가고 또 내려간다.

오늘이 모스크바의 날인데다, 날씨 또한 화창한 여름 날씨라서, 더욱

브드엔하 지하철

24. 팁을 주어야 하나? 말아야 하나?

브드엔하 지하철

이 기온은 여름보다는 서늘하여, 정말 좋은 날씨라서 사람들이 다 나온 모양이다.

지하철을 타러 내려가는 사람, 올라오는 사람 모두 에스컬레이터가 만원이다.

이 많은 사람들이 내려가니 열차 안도 만원이겠거니 했는데, 평소보다 조금 많은 사람들이 탔을 뿐 차내가 그렇게 복잡하지 않다.

우리 서울 지하철과 비교된다.

아마도 지하철이 자주 운행되기 때문일 것이다. 열차를 놓쳐도 한 2~30초 지나면 금방 또 온다. 열차가 짧은 간격으로 계속 운행되는 것이다.

그러기에 지난 여름 추돌 사고에는 200여 명의 인명 피해가 났던 것이다.

사고가 나면 대형사고로 이어질 수밖에 없지만, 그래도 엄청 편하게 느껴진다.

그리고 타고 내리기에 참 편하게 만들어 놓았다.

아무리 생각해도 모스크바의 지하철은 참 잘 건설해 놓았고—예술적으로나 실용적으로 둘 다— 그 운행 역시 참 잘 하고 있다는 생각이 든다.

지하철을 타고 아샨으로 간다.

아샨 근처의 한식당에서 냉면을 먹고, 아샨에서 겨울을 날 내복을 사고, 먹을 것을 준비하는 것이 오늘의 목표였으니까.

아샨 옆에서 백 미터 정도 가면 '고려'라는 한식당이 있다.

이 식당은 북한에서 하는 식당이다.

들어가니 텔레비전에는 북한의 선전이 들어가 있는 북한 특유의 말투—일종의 선동 선전 같은—가 사용되는 화면들이 계속된다.

손님 너덧 명이 테이블에 앉아 있다.

메뉴를 가져오는데, 북한 아가씨이다.

메뉴에는 너무나 많은 음식들이 있는데, 하나하나 다 맛보고 싶다.

일단 회냉면과 섭조개볶음을 보드카 한 잔과 함께 시킨다.

회냉면이 200그람짜리가 380루블이고, 평양냉면이 300루블이다. 100그람짜리는 물론 이보다 더 싸다.

주내가 묻는다.

"작은 것 시키면 어떨까……. 작은 것도 되어요?"

북한 말투로 대답한다.

"예, 됩네다. 그렇지만, 100그람이야 한 젓가락도 안 될 텐디요."

24. 팁을 주어야 하나? 말아야 하나?

그래서 큰 거를 시킨다.

섭조개는 홍합을 말하는데, 가져온 것을 보니 홍합이 너무 많다.

벨 페퍼 등 채소를 많이 넣고 홍합은 반만 넣어야 좋은데, 채소는 거의 없고 섭조개만 너무 풍성하다.

어찌되었든 보드카 한 잔을 아껴 입만 축이면서 섭조개를 먹는다.

냉면은 둘이서 조금씩 노나 먹는다. 그런대로 먹을 만하다.

안주인 섭조개가 많이 남아 생맥주를 한 잔 더 시킨다.

그런대로 잘 먹었다.

카드로 계산을 하다 보니 팁 줄 시기를 놓쳤다.

서빙한 아가씨에게 100루블을 주려 했는데, 이쪽으로 오질 않아 카운터에 가서 계산을 한 것이다.

섭조개

내심 찜찜하다.

“이 담에 와서 주지 뭐!”

한편으로는

“북한 식당에서는 팁을 주어봐야 전부 김정은이게 들어간다던데…….”

라는 말이 생각난다.

“그렇다면 줄 필요가 없지 않은가!”

아가씨들이 안 되어 보여서, 아니 북한 말투가 이상하게 불쌍한 마음이 들도록 하는데…….

“이들에게 팁을 줄 껄 그랬나보다. 비록 김정은이에게 들어가더라도 이들 몫이 조금은 떨어지지 않을까?”

팁을 주어야 하나? 말아야 하나?

쓸데없이 고민을 하게 만드는 북한의 김정은인 한참 반성해야 한다.

여하튼 고약한 놈들이다. 인민의 피를 빨아 지들만 호강하는 놈들, 이게 북한의 지배계층이라는 생각이 들수록 고얀 놈들이라는 생각밖에 안 든다.

그러나 이게 현실이다.

현실 앞에선 사람들이 힘을 못 쓴다.

당면한 현실을 이겨내고 지 마음대로 하는 사람은 진정 영웅일 것이다.

저 북한 아가씨나, 우리는 전혀 영웅이 아니다. 현실 앞에서 옴짝을 못하기 때문이다.

이런저런 생각을 떨쳐내고 아샨으로 가 필요한 것들을 산다.

그리고는 렌닌스키 프로스펙트에서 지하철을 타고 돌아온다.

25. 즐거운 것은 좋은 것이다. 본인에게나 남에게나

2014. 9. 7 일

오늘은 어제 가지 못했던 소콜니키 공원(Sokolniki Park)에 가보려 한다.

'소콜'은 '매'라는 뜻이라는데, 러시아 황제들이 매사냥을 하던 곳이라 한다.

지하철을 타고 붉은 색 노선의 소콜니키 역에 내린다.

역에서 오른쪽 뒤편으로 고풍스런 망루 같은 건물이 보인다. 옛 소방서 건물인가?

소콜니키: 건물

소콜니키: 성당

왼편으로는 성당이 보인다.

일단 앞에 보이는 건물 3층으로 올라가 KFC에서 아침을 먹는다.

그리곤 전화기의 유심 칩을 갈아 끼우기 위해 전화기상에 들어가 내 전화부터 체크한다.

페름에서 사서 끼운 유심 칩을 아직도 쓸 수 있다고 한다.

유심 칩을 바꾸면 전화번호도 변경된다고 한다.

번호 변경 없이 쓸 수 있는 시간을 연장할 수 없는가 물어보니, '비라인(Beeline)'으로 가라고 이야기해준다.

이제 생각하니 페름에서 끼운 유심 칩은 '비라인' 거였다. MTC가 아니라.

일단 쓸 수 있다 하니, 나중에 갈기로 하고, 공원으로 향한다.

25. 즐거운 것은 좋은 것이다. 본인에게나 남에게나

공원 입구에서는 뚱뚱한 할머니가 노래를 부르며 몸을 흔들어 춤을 추고 있다. 가라오케 시설을 해 놓고 돈을 받는 모양이다.

그 모습이 너무 재미있어 길 가던 사람들이 모두 구경하고 있다.

무엇이 저리 즐거울까?

즐거운 것은 좋은 것이다. 본인에게나 남에게나.

공원 입구에는 커다란 분수가 있고 입구 왼편에 가설무대가 있는데, 중국 무예단이 와서 공연을 하고 있다.

젊은이들로 구성된 무예단인데, 칼춤도 추고 맨손으로 태극권 같은 동작도 한다. 모두 흰 옷을 입고 상투를 틀었는데, 붉은 옷을 입은 젊은이가 주인공인 모양이다.

허리를 편 채 앞으로 몸을 숙이는데, 거의 수평이 되는 데도 앞으로

소콜니키: 공원 입구

소콜니키: 공원 입구

중국 무예단

25. 즐거운 것은 좋은 것이다. 본인에게나 남에게나

고꾸라지질 않는다. 그것 참 희한하다.

아마도 발바닥에 본드를 붙여 놓았는가 싶지만 그것도 아니다. 그렇다면 발바닥을 띠지 못할 텐데, 몸을 일으키더니 발을 떼고 또 다른 동작을 보여 준다.

분명 무슨 장치가 되어 있을 것이다.

공원으로 들어서면 흰 등에 불이 들어온 아치형의 굴을 지난다. 이것도 예술이다.

왼편으로는 어린이들이 놀 수 있도록 큰 나무 위로 줄을 매달고 공중다리를 놓아 유격 훈련장 비슷한 것을 만들어 놓았다. 재미도 있고 운동도 되겠다.

저런 걸 우리나라에서도 많이 만들어 놓으면 좋겠다 싶다.

26. 내가 한 수 가르쳐주고 가리라.

2014. 9. 7 일

공원에 들어서니 현대자동차를 가지고 선전을 하고 있다.

사람들이 몰려 있다. 보니 주소와 이름 전화번호 등을 적어 넣으면, 그것을 뽑아 경품을 준다.

경품으로는 현대 로고가 들어가 있는 우비, 우산, 그리고 운동모자이다.

주내가 다가가 한국 사람이니 운동모자를 달라고 하여 쓰고 나온다. 나중엔 우산도 얻었다.

우산을 쓰고 현대차 앞에서 임시 모델이 되어 준다. 많이 팔리길 바

소콜니키 공원: 야외 음악당

소콜니키: 목조 교회

라면서.

운동모자와 우산을 얻었으니, 오늘 나온 것은 이것만으로도 충분하다.

운동모자를 쓰니 햇볕이 훨씬 덜 따갑다.

공원 안 숲으로 들어가면서 지도를 보니 오른 편 숲속에 옛 교회가 있다.

교회 쪽으로 길을 잡아 숲속을 거닌다. 정말 산책하기에 좋은 길이다.

가다보면 왼편에 반달 모양의 야외 음악당이 있고, 그곳을 지나 면 곧은데, 걷는 길과 아이들이 자전거나 스노우 보드 같은 것을 타는 길이 따로 되어 있다.

교회에 이르기 전, 그 앞에는 못이 있다.

교회 문으로 들어가니 옛날 목조 교회이다.

장작더미

교회는 참 이쁘다.

러시아의 건축물 가운데 교회 건축, 특히 나무로 된 건축물들은 참 이쁘게도 지어 놓았다.

교회를 지나니 장작을 뽀개어 쌓아 놓은 장작무더기들이 있는데, 참 잘도 쌓아 놓았다. 겨울을 나기 위한 것이리라.

그리고 집이 한 채 있고 그 앞에서 몇 몇 가족들이 놀러 왔는지, 음식을 하느라고 분주하다.

아이들은 탁구를 치고, 어떤 남자 하나는 활을 쏘고 있다.

활은 우리나라 사람들이 잘 쏘는 것이니 내가 한 수 가르쳐 주고 가리라.

다가가 나도 쏘자고 하니 선뜻 활과 화살을 내준다.

한 시위 당겨보나 마음대로 되지는 않는다.

옛날에는 안 그랬는데……. 나도 늙은 모양이다.

우리는 나이를 생각 못하고, 착각 속에 산다. 흐른 세월은 거짓이 없는 것을…….

'쯔바 씨바"하고는 그 뒤로 나아간다.

가 보니 큰 길이 있는데, 울이 쳐져 있다.

구글 지도를 보면서 그 울을 따라 왼쪽으로 나아간다.

숲 속이라서 공기는 정말 상쾌하다.

우리나라에도 시민들이 즐길 수 있는 이런 공원이 시내에 많이 있어야 할 것 같다. 러시아에서 부러운 것 중 하나이다.

숲속에서 그냥 거닌다. 특별한 것은 없다.

활쏘기

소

다시 되돌아 나오는데, 전시장 같은 건물들이 있고, 그 앞에는 소 동상이 하나 있는데, 알록달록 부위별로 색깔을 칠해 놓았다.

그 이유는 잘 모른다.

27. 트램 관광, 세상 편하다.

2014. 9. 7 일

공원을 나와 크레믈린 쪽으로 가기로 했다.

오늘이 모스크바의 날이니 시내 중심부에선 퍼레이드도 있을 거고, 무엇인가 볼거리가 있을 것이다.

지하철을 타면 금방 갈 수 있으나, 시내 구경도 하고 싶고, 버스나 트램을 타면 어떨까 하여 버스 정류장으로 간다.

이 사람 저 사람에게 물어 보아도 잘 모른다. 그냥 지하철을 타고 가란다.

그런데 어떤 꼬마 하나가 7번 트램을 타면 크레믈린으로 간다고 한다.

7번 트램을 타고

소콜니키 공원

이 말을 듣고 어른들이 이구동성으로 7번 트램을 가리킨다.

얼른 올라탄다.

앞으로 타서 차표를 대면, 막아놓은 쇠막대가 돌아가며 들어갈 수 있게 되어 있다. 얼른 지하철 표를 보여주며 이것도 되는가 물으니 된다고 한다.

지하철 표를 가지고 트램도 탈 수 있다는 것을 알았다. 다행이다.

트램이 가는 방향은 처음에는 방향이 맞는 듯하더니, 왼쪽으로 방향을 튼다.

크레믈린 방향과는 전혀 다르다.

어린아이의 말만 믿고 덥석 탔으니…….

그런 애들 말을 믿고 러시아 어른들도 빨리 타라고 성화를 대었으

7번 트램 관광: 건물

27. 트램 관광, 세상 편하다.

트램 운전석

니…….

어린이의 말은 믿지 말지어다!

그리고 크레믈린으로 가려면, 절대 7번 트램을 타지 말지어다!

그렇지만 이것도 관광이다 싶어 끝까지 가보기로 했다.

가면서 보니 모스크바 강 운하를 건너고, 성당이 보이고, 그러더니 차에 탄 다른 사람들이 내리라 한다. 종점이라며!

우리는 안 내린다.

그냥 버티고 앉아 있으면 다시 되돌아갈 것이다.

아니나 다를까, 트램은 다시 되돌아간다. 왔던 길을 거슬러 다시 소콜니키 공원까지 왔지만, 끝까지 가보기로 한다.

어차피 크레믈린 쪽으로 갈 시간은 지난 것 같고, 전차 타고 시내 구경이나 해야겠다 싶어서였다.

트램을 타고 창밖을 내다보며 가니, 세상 편하다. 다리 아플 이유가 없다.

다리 아프고 불편할 때는 트램 관광이 최고다. 한 번 해 보시라!

세상엔 자신이 직접 해 봐야만 아는 사람들이 있다. 이런 분들은 의심하지 말고 한 번 해보시라!

소콜니키에서 몇 개인가 트램 정거장을 지나니 또 다른 종점이다.

트램 운전수가 돌아보며 종점이니 내리라 한다.

"다시 안 돌아가는가?" 물으니, 한 30분 쉬었다가 간단다.

내려서 지하철역으로 간다.

그리고는 지하철을 갈아타고 매드배드꼬보로 가려다 다음다음 정거

7번 트램 관광: 건물

7번 트램 관광: 성당

장이 꼼소몰스까야라서 기차를 타고 가려고 내린다.

기차만 바로 있으면 한 2~30분 절약할 수 있을 거라는 생각에서였는데, 차표를 사들고 역 구내로 뛰어 들어가 보니, 종이에 적어 놓은 기차 시간표의 기차가 없다.

철도국 표시를 한 윗도리를 입고 있는 사람에게 묻는다. 이 열차를 어디에서 타느냐고?

그러자 이 사람 말이 이 열차와 다음 열차는 주중에만 다니고 일요일에는 안 다닌단다.

결국 시간표에 적혀 있는 다음다음 열차를 타는 수밖에 없다.

시간을 2~30분 절약하려다 오히려 2~30분 더 늦어버렸다.

역시 사람의 마음대로 되는 것은 아니다. 이것도 운명인가?

소콜니키 공원

28. 여행 중 김치 먹고 싶을 때

2014. 11. 22 토

이제 러시아를 떠날 날도 딱 한 달 남았다.

그 동안 러시아 음식에 이제 질릴 때도 되었다.

물론 음식은 주방장 솜씨에 따라 다르겠지만, 일반적으로 음식이 짜다.

그림 132

우리나라 음식이 짜다고 하나 전혀 그렇지 않다.

이렇게 짜게 먹다간 고혈압이나 당뇨나 성인병에 걸릴 거 같다.

게다가 고기류는, 물론 기름기보다는 살코기를 많이 쓰긴 하지만, 항상 옷을 입혀 튀기는 게 보통이다.

서리가 피운 얼음꽃

이 역시 바람직하지 못하다.

짜지만 않고 기름에 튀기지 말고 그냥 굽거나 끓이면 좋겠는데, 그렇지 않으니 많이 먹을 수가 없다.

왜 좋은 재료를 가지고 이렇게 맛없게 만들어 먹는지, 이것도 재주라면 보통 재주가 아니다.

집에서 먹는 저녁에서는 김치가 늘 그립다.

한국 식품점에서 김치를 몇 번 사다 먹어 봤는데, 냉장고가 시원찮아서 이삼일 후면 시어 버린다.

그리고 무엇보다도 사먹는 김치는 비싸다.

그래서 주내가 배추를 사다가 소금에 절여서 김치를 만들어 먹는다. 훨씬 맛있다.

서리 내린 잎사귀

그런데, 문제는 가장 중요한 고춧가루가 떨어진 것이다.

고춧가루를 사려 하나 한국 식품점에서 파는 고춧가루는 전부 중국산이라 하니 믿을 게 못되는데다가, 작은 것이 없다. 적어도 1킬로 이상 많이 들어 있는 것이어서 아예 포기하고 백김치를 만들어 먹기로 했다.

소금을 좋은 것으로 산다.

세계에서 제일 좋은 소금은 우리나라 천일염이라는데, 구할 길이 없으니, 그로서리에서 제일 비싼 것으로 산다.

보통 암염은 500 그램 정도 되는 것 한 봉지에 1~3루블(30~100원) 정도인데, 바다 소금이라고 상표가 붙어 있는 것은 25루블~40루블(700원 ~1200원) 정도 한다.

바다 소금은 대부부분 수입품이라서 비싼 모양이다.

그나마 이 가운데에서도 프랑스 지방의 천일염이 좋다고 한다.

물론 우리나라 천일염과는 미네랄 함량 등에서 전혀 비교가 안 된다.

아샨이라는 이마트 비슷한 곳에서 제일 좋은 소금을 사다가 배추에 절여 씻어서 파 마늘을 조금 넣고 섞어서 싱겁게 먹는데, 맛이 아주 좋다.

고춧가루가 없어도 맛은 아삭아삭하니 괜찮다.

학교에서 밥을 먹을 때마다 늘 이 김치 생각이 난다.

삼일에 한 번씩 배추를 사다가 이렇게 만들어 먹는다. 새로운 경험이다.

이 대학에 다니는 한국 학생은 부산에서 온 K라는 한국 여학생 하나뿐이다.

K를 초청하여 저녁을 대접한다.

서리 내린 학교 성당

김치를 보니 무척 반가운 모양이다. 맛있게 먹으면서

“이걸 어찌 담았어요?”

하고 묻는다.

주내가 가르쳐 준다.

“아주 간단해. “먼저 배추를 사서 씻은 다음 잎사귀를 하나씩 뜯어서 비닐 봉다리에 넣어 소금에 절여.”

여기서 비닐 봉다리에 넣는 이유는 마땅한 그릇이 없기 때문이다.

“그 다음, 대여섯 시간이 지난 후 물로 간단히 헹구고, 여기에 멸치 액젓 조금하고, 파 마늘 고춧가루로 만든 양념을 넣어 잘 섞이도록 비닐 봉다리를 흔들어 주면 끝이야”

아주 간단하다.

서리 내린 잎사귀

서리 내린 날 풍경

학교 기숙사가 음식을 해먹을 수 있는 공동 부엌이 있지만, 제대로 된 그릇도 없으니 한국 음식 해먹기가 마땅치 않은 것은 사실이다.

그렇지만 이런 간편한 방법으로 김치를 만들어 먹는다면, 그나마 질려버린 러시아 음식에서 조금이라도 벗어날 수 있을 것이다.

29. 어리석음의 반복

2014. 11. 22 토

어떻게 세월이 이리 빨리 흐르는지, 그렁저렁 하다 보니 한 것도 없이 10월 11월이 그냥 지나간다.

사실 그렁저렁은 아니다.

눈이 오면 눈 온 경치를 찍으려고 눈 오기만 기다렸지만, 설경을 찍을 수 있을 만큼의 눈은 아직 안 오는데, 눈만 기다린 셈이다.

지금까지 10월 중순에 한 번, 11월 중순에 한 번 살짝 내렸을 뿐이다.

나타샤에게 물어보니 12월까지는 지금 기후와 비슷하다면서 2월 달에 눈이 많이 온다 한다.

그러면서 십여 년 전에는 11월에도 영하 40도까지 내려갔다고 한다.

요즈음 날씨는 보통 영하 1도에서 영하 4~5도 사이에서 왔다 간다 한다.

물론 제일 추웠을 때는 영하 9도까지 내려 간 적이 있기는 하다. 물론 체감 온도는 이보다 4~5도 더 내려간다.

눈 올 때 기다리다간 아무것도 못하겠다 싶어, 눈에 대한 기대는 접고, 한 달 후면 우리나라로 돌아가야 하니 이제라도 모스크바 근교라도 실컷 구경하고 가야겠다는 생각이 든다.

여기까지 와서 돈 아낀다고 기숙사 방안에만 앉아 있다 가면 되겠는가?

사람들은 보통 그렇다.

알렉세이 미하일로비치 궁전

돈을 쓸 데 써야 하는데, 그것을 잘 모른다. 무조건 아낀다.

물론 아껴야 한다.

그렇지만 돈의 효용은 쓰는 데 있는 것이다. 그리고 잘 쓰면 기분이 좋은 법이다.

놀러와서는 돈 아낀다고 안 쓰고 그냥 방구석에만 처박혀 있다가 돌아간다면 차비가 아깝지 않은가!

언제 여길 또 다시 방문하겠는가?

이런 생각이 들자, 지난 번 꼴로멘스카야 공원에 갔다가 입장료가 아까워 알렉세이 미하일로비치 궁전의 박물관에 들어가지 않고 밖에서만 놀다 온 일이 생각난다.

참 바보 같은 짓을 한 것이다.

알렉세이 궁전

알렉세이 미하일로비치 궁전

그때 보았으면, 지금 또 다시 안 가도 되는 것 아닌가! 괜히 돈 아낀다고 하다가 차비만 이중으로 든 셈이다.

본래 우리의 생활이란 이렇다. 어리석음의 반복이다.

마침 오늘은 3시에 마리아와 한국 식당에서 점심 약속을 하였는지라, 아침 일찍 나와 그때 보지 못 했던 박물관을 보고, 약속 장소인 코르스톤 호텔로 가기로 했다.

그렇지만 아침 9시부터 서둘렀건만, 집을 나서 버스를 탄 것은 11시가 다 되어서였다.

이번에는 꼴로멘스카야에서 내리지 않고 그 다음 정거장인 까쉬르스카야(옥색 노선)에서 내렸다.

지난번에 와 본 경험이 있기 때문이다.

그런데, 내려 보니 어디가 어딘지 모르겠다. 지난번에 분명히 공원에서 이쪽으로 나왔는데…….

물어보아야 할 거 같다.

그렇지만, 일단 앞의 커다란 건물이 상가 같아 들어간다.

점심 약속이 3시이지만, 그 전에 무엇인가 조금이라도 배를 채워야 하기 때문이다.

식당을 찾으니 건물 3층에 버거킹, KFC 따위가 들어서 있다.

3층에 올라가니 앞이 툭 트인 전망이 참 좋다.

가만 보니 꼴로멘스카야 공원이다.

알렉세이 미하일로비치 궁전

알렉세이 궁전

저쪽으로 흰색 교회도 보이고 이쪽으로는 알렉세이 궁전의 초록 지붕들이 보인다.

아하! 저쪽으로 가면 되는구나.

간단히 닭다리를 하나씩 뜯고, 공원으로 간다.

30. 우물 안 개구리가 따로 없다.

2014. 11. 22 토

알렉세이 미하일로비치 궁전은 언제 보아도 동화 같다.

공원에서는 마라톤 대회가 있는지 앞뒤에 번호를 붙인 사람들이 뛰고 있다.

궁전 매표소로 가서 표를 끊는다.

분명히 지난번에 왔을 때에는 300루블이었다고 기억하는데, 350루블이다. 그 사이에 올랐나?

어찌되었든 표를 끊고 궁전으로 들어간다.

들어가서 보니 이 궁전의 이름이 알렉세이 미하일로비치 궁전인 이

알렉세이 미하일로비치 궁전 박물관 입구

유를 알 수 있었다.

알렉세이 미하일로비치는 바로 그 유명한 표토르 대제의 아버지이고, 여기에서 표토르를 낳았다는 이야기가 전해져 온다.

그런데 설명서에는 괄호하고 '사실은 모스크바 크레믈린에서 낳았지만'이라고 쓰여 있다.

표토르 놀던 곳에 이제와 다시 보니
동화 속 궁전 안은 옛 생활 그대로네
영웅은 어디로 가고 초상화만 남았나"

들어가 보니 황제가 쓰던 책상, 의자 등의 가구와 옷장 등이 진열되어 있다. 방마다 할머니들이 앉아 지키고 있다.

알렉세이 미하일로비치 궁전

30. 우물 안 개구리가 따로 없다.

표토르 대제의 초상화도 있고, 침실의 침대도 있다.

표토르의 어머니 초상화도 있고, 이복누이이자 정적인 소피아의 초상화도 있다. 또 소피아의 어머니 초상화도 있고, 표토르의 딸 엘리자베스 여제의 초상화도 있고, 강력한 권력을 휘두르며 20여명의 남자 시종들을 쥐락펴락하며 재미를 보았다는 예카데린 여제의 초상화도 있다.

모두 역사적 인물들이다.

이들을 하나씩 뜯어보며 러시아의 역사를 회상하는 것은 재미는 있다.

그렇지만, 대부분의 초상화가 실물 중심으로 잘 그려서인지는 몰라도, 별로 잘 생긴 미남 미녀들은 아니다.

허긴 그 씨가 어디 갈까! 알렉세이 미하일로비치부터 별로 잘 생긴 미남은 아니니까.

단지 표토르 엄마보다는 소피아 엄마가 훨씬 미인임이라는 점에 대해서는 나와 주내의 의견이 일치한다.

이를 증명하려면 이들의 초상화를 찍어야 하는데, 사진 촬영은 금지되어 있어 심히 유감이다.

그냥 믿으시라!

이들 러시아의 유명 인물들을 알현(?)하고, 주방, 사우나, 등등 방마다 구경을 하고는 박물관을 나온다.

밖에서 나와 궁전을 돌다보면 일부 건물에서는 연주회를 하는 곳도 있다.

들어가 보니 2시부터라고 한다.

입장료는 7달러 정도를 내야 하단다.

그리고 입장권 팔던 곳 위층에는 러시아의 보물이라고 쓰여 있어 올라가 보니 150루블짜리 티켓을 사오라 한다.

모두 모아서 패키지로 만들어 팔면 좋을 것을 따로따로 돈을 받는 것이다.

그러니 이 궁전을 이곳저곳 모두 다 보려면 꽤 돈이 든다. 싼 것이 결코 아니다.

알렉세이 궁전 박물관에서

어찌되었든 시간이 있으면 보물이 무엇인지 보고 갔으면 좋으련만, 벌써 2시가 다 되어 가니 약속 시간 때문에 그냥 나와 전철역으로 향한다.

이 궁전은 밖에서 보면 동화의 나라 같이 건물이 아기자기하게 꾸며져 있는데, 그 안에 들어가 있으면 이 건물이 정말 동화 같고 아름답다는 것을 전혀 느끼지 못한다.

알렉세이 궁전

태풍의 눈 속에서는 전혀 태풍을 느끼지 못하는 것처럼.

세상이 이와 같다.

외국 사람들은 한국이 북한과 대치되어 휴전상태에 놓여 있는 나라이니 엄청 위험한 나라라고 생각하지만, 그 안에 사는 우리는 그것을 전혀 못 느낀다.

고리 원자력 발전소가 위험하다고 아무리 환경론자들이 떠든다 해도, 정작 부산 시민들은 덤덤하다.

어디 이것뿐인가!

대부분의 사람들은 자기가 처해 있는 환경 속에서 그저 우물 안 개구리로 사는 것이다.

이 궁전에서 어렸을 때 표토르가 여기에서 놀았다면 정말 재미있게 놀았을 것이라 확신한다.

통나무로 지은 집이지만, 굴도 있고 건물들이 복잡하고 조화롭게 연결되어 있어서 다른 건 몰라도 숨바꼭질만큼은 정말 재미있었을 듯하다.

31. 찬바람 피하고자 잔머리 굴렸으나

2014. 11. 30 일

이제 한국에 돌아갈 날도 얼마 남지 않았다.

주중엔 강의가 있으니 주말밖에 시간이 없다.

그 동안 못 보았던 풍경들—설경과 야경—을 보긴 보아야겠는데, 눈이 안 오니 설경은 더 기다려야 할 것 같고, 야경은 볼 만한 여건이 충분하다.

아침 8시나 되어서 아침이 밝아오고, 저녁 4시가 지나면 어둠이 밀려온다.

그러니 오후 4시 이후에는 야경을 즐길 수 있는 것이다.

오늘은 오후 3시에 집을 나선다.

버스를 타고 지하철을 타고 또 갈아타고 일단 아르바뜨 거리로 간다.

소문난 대로 모스크바의 지하철역들은 참 아름답다. 갈아타는 곳마다 개성이 넘친다.

이번에는 아르바뜨 거리에 제일 가까운 아르바뜨 역으로 가기 위해 지하철을 두 번 갈아타고 가기로 했다.

프로스펙트 미라에서 한 번 순환선으로 갈아타고, 나바슬로봇스카야에서 다시 한 번 갈아타고 아르바츠스카야 역으로 가려 한 것이다.

왜냐면 안 가 본 지하철도 감상할 겸, 무엇보다도 밖은 춥기 때문에 지하철 안에서 걷는 길을 택한 것이다.

따라서 가능하면 아르바뜨 거리 가까운 지하철 역으로 나와 아르바뜨 거리를 감상하고, 걸어서 크레믈린과 바실리 성당을 거쳐 가면서 야

나바슬로봇스카야 지하철역

경을 감상하고, 한국 음식점 〈김치〉에 가서 저녁을 먹고, 기타이-고로드 역에서 지하철을 타고 돌아오는 여정을 잡은 것이다.

나바슬로봇스카야에서 지하철을 갈아타기 위해 멘델레엡스카야 역으로 걸어가며 지하철 안을 구경한다.

그리고는 아르바츠스카야로 가는 지하철을 타는데, 알고 보니 아르바츠스카야 역이 아니라, 바라비쯔카야 역에서 내려야 한다.

여기에서는 갈아타는 역들이 몇 개씩 중복되어 있는데, 같은 지역이지만, 노선이 다르기 때문이다.

여기서 걸어서 아르바츠카야 역으로 나간다는 게 그만 국립도서관 역으로 나와 버렸다.

나름대로 머리를 많이 썼으나, 결과는 도루묵이었다.

31. 찬바람 피하고자 잔머리 굴렸으나

멘델레옙스카야 지하철역

아르바츠스카야 지하철역

아르바츠스카야에서 본 옛 아르바뜨 거리

옛 아르바뜨 거리와 외무성 건물

31. 찬바람 피하고자 잔머리 굴렸으나

러시아 지하철에서는 나가는 곳과 들어오는 곳이 분리되어 있어 다시 지하로 들어갈 수가 없다.

결국 여기에서부터 아르바뜨 거리가 있는 쪽으로 걷는다.

찬바람 피하고자 잔머리 굴렸으나
맘대로 안 되는 게 이 세상 이치련가
그대로 받아들이며 찬 세월을 즐기네

전에 낮에 한 번 가본 길이라서 어렵지는 않지만, 차가운 바람을 맞아가며 가는 것이, 그리고 나중에 다시 이 길을 걸어 크레믈린 쪽으로 와야 되는 것이 싫다.

그러나 어쩌랴! 방법이 없는 걸.

32. 모스크바의 야경

2014. 11. 30 일

옛 아르바뜨 거리로 가 보지만, 별로 볼 게 없다. 추워서 그런가, 사람도 한산하고, 야경도 별거 없다.

일단 비라인(Bee-line)을 찾아 휴대전화의 유심카드를 바꾼다.

비라인을 찾느라 너무 많은 시간을 허비했다. 벌써 6시가 넘었다.

이제 새 아르바뜨 거리로 나와 고행자 시몬 성당을 사진기에 잡아넣고는 이제 크레믈린으로 간다.

국립도서관 역쪽에서 길을 건너 크레믈린을 찍는다. 나폴레옹이 들어갔다는 삼위일체 탑을 중심으로 야경을 찍는다.

새 아르바뜨 거리의: 고행자 시몬 성당

크레믈린: 삼위일체 탑

칼바람 쌩쌩 부니 거리는 서러운데
눈앞의 야경들은 사진길 손짓하네
사진기 붙든 손이야 시렵거나 말거나

밤에 찍는 사진은 빛이 흐려서 잘 찍기가 어렵다.

삼발이가 있으면 괜찮겠지만, 여행에서 짐을 줄이느라 빼 놓고 왔으니 최대한 흔들리지 않게 찍어야 한다.

언제나 느끼는 것이지만 사진은 내가 찍는 것이 아니다. 나를 통하여 찍혀지는 것이다.

내가 찍는 것 같아도 사실은 빛이 조화이다. 빛을 어찌 잡느냐에 따라 사진은 달라진다.

특히 야간 사진은 빛이 약하니 완전히 운이다. 잘 나오느냐 못 나오

바실리 성당 야경

느냐는 전적으로 하느님 맘대로다.

다행히 나중에 사진을 보니 맘에 들도록 잘 나왔다.

하느님께 감사한다.

아마도 120만원 주고 산 사진기가 좋은 모양이다.

흔들림을 방지하여 찍는 방법이 프로그램되어 있어 그것을 이용하였더니 맘에 쏙 들게 나왔다.

다만, 한 컷 찍는데, 찰칵 소리가 여러 번 나는 것을 보니 전기를 너무 많이 사용한다는 단점이 있다.

크레믈린에서 국립역사박물관 쪽으로 가며 셔터를 누른다.

붉은 광장 쪽으로 나가니 크리스마스가 가까워서인지 여기에는 그래도 사람들이 많다.

32. 모스크바의 야경

바실리 성당과 붉은 광장 등을 찍는다.

저쪽의 굼 백화점은 요란하게 전깃불로 장식을 해 놓았다.

한 열 장 정도 찍었나, 사진기 배터리가 달랑달랑한다. 야간 촬영에다 날씨가 추워 그런 모양이다.

허긴 이제 더 찍을 것도 없다.

〈김치〉에서 저녁 식사를 한다.

오랜만에 잘 먹긴 했는데, 그만큼 돈이 나간다.

그리고는 서둘러 기타이-고로드로 가 지하철을 탄다.

매드배다꼬보에는 8시 반이 안 되어 도착한다.

아직 체르키조보 가는 미니버스는 9시가 막차니까 두 대가 더 남아있다.

굼 백화점

8시 40분에 출발하는 미니버스를 여유 있게 타고 학교 기숙사에 도착하니 9시 20분이다.

야경 잘 보고, 잘 먹고, 잘 찍고, 잘 놀았다.

그냥 감사한다.

33. 설경

2014. 12. 11 목

어제는 하루 종일 눈이 내린다.

함박눈처럼 내렸으면 좋으련만, 싸래기눈 비슷한 것이 끊임없이 내린다.

별로 쌓일 것 같지 않았는데도 티끌 모아 태산이라고 저녁때 보니 10센티미터 이상 쌓였다.

학교에 강의가 있어 가는 길에 눈에 눈이 들어간다. 그래도 좋다.

눈에 눈이 들어가니 눈물이냐 눈물이냐
눈물이면 어떠하고 눈물이면 어떠하리
눈 들어 눈을 맞으니 이 얼마나 좋은가

눈이 오면 길이 미끄럽다는 게 우리의 상식이다.

그렇지만, 이곳의 눈은 습기가 적은 건설(乾雪)이라서 그런지 전혀 미끄럽지가 않다. 마치 밀가루 뿌려놓은 것 같다.

거 참! 신기하다.

그러니 눈길에 미끄러져 골절상 입은 사람도 별로 없는 것 같다.

만약 여러분이 러시아에서 골절상 입은 사람을 발견한다면 그는 분명 눈길이 아니라 물기가 있는 대리석 바닥에서 미끄러진 사람이 분명하다.

그러니 계단을 오르거나 밖에서 건물 안으로 들어갈 때에는 조심해야 한다.

돈스코이 수도원

모스크바: 국립관광서비스대학 교정의 설경

학교로 오가는 길에 몇 장 찍는다.

눈이 오면 설경을 찍겠다고, 모스크바로 출타를 해야겠다고 엊그제까지 결심을 했으니, 오늘은 나가야 한다.

다만 주내가 무릎이 아프다니 걱정이다. 저래 가지고 나갈 수 있으려나?

2시에 점심을 먹고 버스에 탔는데 다행히 길이 밀리지는 않는다. 다시 지하철을 갈아타고 돈스코이 수도원이 있다는 주황색 노선의 샤볼롭스카야(Shabolovskaya)까지 간다.

샤볼롭스카야 지하철 역도 역시 특이하고 예술적이다.

모스크바의 지하철 역은 모두 개성이 있고 예술적이라는 말이 사실이다. 지하철마다 돌아다니며 사진을 찍어도 괜찮을 듯하다.

33. 설경

모스크바: 국립관광서비스대학 교정 설경

모스크바: 샤발롭스카야 지하철 역

내리니 3시 반밖에 안 되었는데, 컴컴하다.

금세 깜깜해진다.

방향을 물어보고는 눈길을 조심조심 걷는다.

주내의 무릎이 걱정이다.

어디 음식점이라도 있으면 앉아 있으라 할 텐데, 이쪽으로는 가게도 별로 보이지 않는다.

길 건너편에 카페가 보인다. 카페 옆에는 조그만 가게가 있다. 일단 가게에 들어가 있다가 카페에 가서 커피라도 한 잔 하라 하고는 돈스코이 수도원(Donskoy 〈onastery)을 물어보니, 바로 코앞이란다.

혼자서 사진기를 들고 빨리 걷는다.

3분도 안 걸려 돈스코이 수도원의 붉은 담벼락이 나타난다.

돈스코이 수도원 문

33. 설경

돈스코이 수도원 담

담벼락을 따라 걷는다.

이 눈 속에 개를 끌거나 유모차를 앞세우고 산책하는 사람들이 있다.

돈스코이 성벽 앞 쪽에는 숲이 우거져 있다.

한대지역의 나무들이라 키가 크다. 눈이 푹푹 빠질 정도로 많이 쌓여 있다.

나무 사이로 난 길을 따라 담벼락과 나란히 걷는다.

날은 완전히 어두워져서 한밤중이다.

사진기의 장면 선택 모드에서 야간 촬영으로 바꾼다.

야간 촬영이 쉽지는 않으나, 요새는 사진기가 좋아져서 환상적인 야간 촬영이 가능해졌다.

담벼락을 세 번인가 돌아가니 돈스코이 수도원으로 들어갈 수 있는

돈스코이 수도원 담

문이 나온다.

시간은 4시가 조금 넘었는데 매표소는 닫혀 있고, 수도원의 문은 열려 있다.

안으로 들어가는 사람이 있어 따라 들어간다.

눈앞에 돈스코이 수도원의 본당이 나타난다.

본당 건물은 조형감각으로 볼 때 그렇게 이쁘게 지은 것은 아니다. 그렇지만, 묵직한 것이 그 무게감이 보통이 아니다.

성당 문으로 들어가 보니 와, 대단하다.

안은 컴컴한데, 서너 아름쯤 되는 두 개의 커다란 기둥이 양쪽에 서 있고, 커다란 샹들리에가 가운데에 매달려 있다. 두 개의 기둥에는 성화가 그려져 있다.

33. 설경

돈스코이 수도원 정문

돈스코이 수도원 본당

성당이 주는 중압감이 보통이 아니다. 한마디로 크고 묵중하다. 장엄하다.

밖으로 나와 이 본당을 중심으로 좌우에 있는 조그마한 예배당들을 찍는다.

일부는 수리 중이라서 금줄을 쳐 놓았다.

성벽을 따라 동서남북에 문이 있고, 물론 닫혀 있지만, 그 문 위에는 뾰족한 탑 형태의 망루를 지어 놓았다.

성벽의 모서리에는 둥그런 형태의 망루가 있다.

부지런히 사진을 몇 장 찍고는 기다리는 주내가 염려되어 다시 걸음을 재촉하여 성을 빠져 나온다.

오던 길을 되돌아 렌닌스키 프로스펙트로 향하는 큰길까지 나온다.

돈스코이 수도원 예배당

33. 설경

돈스코이 수도원 망루

길 건너 조그만 가게에 주내가 있다.

그 곳으로 향하려는 데, 주내가 나온다.

함께 음식점을 찾아 샤볼롭스카야 지하철역 쪽으로 나아간다.

마땅한 음식점을 발견할 수 없다.

원래는 저녁을 먹고 들어가려 했으나, 내일 발레 구경할 때에도 외식을 해야 하는 까닭에 오늘은 결국 집에 가서 저녁을 먹기로 했다. 시간적으로도 좀 이르다.

7시 이전에 집에 도착할 수 있다.

결국 지하철을 타고 집으로 돌아온다. 집에 오니 6시 반 밖에 안 되었다.

34. 억지로 짜낸 지혜조차 사람을 외면하는 데야…….

2014. 12. 12 금

오늘은 발레를 보러 가기로 한 날이다.

1,000 루블짜리 싼 표를 인터넷으로 구했다는 국제교류처장인 나타샤와 몇 몇 학생들이 발레를 보러 간다는데 주내도 가보고 싶다는 것이다.

나는 본디 발레를 별로 안 좋아한다.

안 좋아하는 이유는 발끝으로 서서 걷고, 뛰고 빙빙 돌고 하는 것이 너무 안스러워서이다.

나는 무엇이든 자연스러운 것을 좋아한다. 자연에 어그러지는 것은 별로 좋아하질 않는다.

춤도 그렇다. 자연적인 몸의 율동에서 아름다움을 찾아야지 인위적인 훈련을 통해서 익힌 춤은 별로 좋아하지 않는다.

아무리 발레가 이쁘다고 하나, 발끝을 그렇게 혹사하는 것은 별로라고 생각한다.

나에게는 그냥 막춤이 낫다.

그렇지만 집사람이 가자는데, 감히 안 간다고 할 수는 없다.

그래서 꾀를 낸 것이 오늘 가서 직접 표를 사되, "표가 없으면 그냥 온다."는 데 합의한 것이다.

"좌석 표도 종류가 여러 가지인데, 1,000 루블짜리가 없고, 더 비싼 표만 있으면 어쩔 것인가?" 물었더니 "1,500 루블이면 들어가고 그 이상이면 돌아오겠다."고 약속한다.

발레 티켓

1,500 루블이 마지노선인 셈이다.

이제 마음속으로 표값이 1,500 루블이 넘기만을 빈다.

마누라가 가자는데 안 간다고 할 수 있는 간 큰 남자가 과연 몇 명이나 될까?

무조건 '안 간다'고 했다가 한 대 얻어맞고 질질 끌려가는 것보다는 이 정도로 꾀를 낸 것도 얼마나 지혜로운 일인가!

그렇지만, 막상 버스와 지하철을 갈아타고 크레믈린 앞으로 와 표를 끊으려니, 이 지혜조차도 사람을 외면하는 데는 어쩔 수 없다.

딱 표 값이 1,500루블이니, 어쩔 수 없이 울며 겨자 먹기로 표를 사는 수밖에 없다. 거금 3,000루블이 나간다.

3,000루블이면 9만원인데……, 아니 주내 말로는 요새 루블화가 많이 떨어져서 7만 5천 원 정도밖에 안 나간다지만, 돈이 문제가 아니다.

보기 싫은 것을 보기 위해 앉아 있어야 하니…….

이왕 온 거, 크레믈린 야경이나 찍자.

그리고 크레믈린 대회 궁전이 어찌 생겼나를 관찰하는 값으로 생각하자. 이렇게 마음을 다스린다.

무릎이 아픈 주내는 마네쥐 광장 지하의 쇼핑 몰에 남겨 놓고 여유가 있는 1시간 정도를 혼자서 사진기를 들고 붉은 광장으로 돌아다닌다.

눈이 많이 와서 쌓인 것이 그런대로 볼만하다. 미끄럽지도 않고, 설경을 찍기에는 그만이다.

시간은 얼마 안 되었지만, 깜깜한 게 한밤중이다.

마네쥐 광장에는 커다란 지구본 같은 것이 설치되어 반짝이고 있다.

야경 사진을 몇 장 찍는데, 영 초점이 잘 안 맞는다.

이상하다 했더니, 나중에 알

지구본

고 보니 사진기를 자동에다 맞추지 않고 수동에다 맞추어 놓은 것이었다.

그래서 이날 사진 중 건진 것은 별로 없다.

35. 무용수의 속옷까지 훤하게 보이는지라…….

2014. 12. 12 금

7시 시작인데 6시에 입장한다.

볼쇼이 극장 표는 미리 오래 전에 예매하지 않으면 구하지도 못한다.

표는 없고 보고 싶은 사람들을 위해 크레믈린 대회 궁전에서도 이렇게 싼 값에 발레 공연을 한다.

크레믈린 대회 궁전은 국제회의나 연회, 리셉션, 콘서트 등이 자주 열리는 곳으로서 12개국 동시통역장치가 되어 있고, 볼쇼이극장의 제2 극장 무대로서 발레나 오페라 등이 공연된다.

대회 궁전 안에 들어가 보니, 조명시설, 음향시설, 옷 벗어 맡기는

대회 궁전 안

대회 궁전 안

곳, 화장실 등 그 규모가 크기도 하려니와 화려하기 그지없다.

옷을 벗어 맡기는데 조그마한 망원경을 빌려준다고 하며—물론 공짜는 아니다—우리 표를 보자 한다.

우리 표는 1,500루블짜리 고가표인지라 망원경이 필요 없다고 한다.

좌석을 보니 7열 41, 42호석이다.

앞에서 일곱 번째 줄, 41, 42호석이니, 극장 앞쪽의 좌우 중간으로 정말 좋은 자리이다. 역시 돈값을 한다.

허긴 망원경은 저 뒤쪽이나 옆쪽 자리에선 필요할 것이지만, 이 자리에선 무용수의 속옷까지 훤하게 보이는지라 망원경이 전혀 소용없는 것이다.

참으로 호사스런 문화생활이다. 돈은 좀 들었지만.

우리 옆 자리에는 한국 학생 두 명이 앉아 있다.

러시아에서 연극배우로 뛰면서 박사 과정을 밟고 있는 학생과 그 여자 친구이다.

이 궁전은 객석이 6,000석이라는데, 빈 의자가 거의 없을 정도로 사람들이 꽉 차 있다.

역시 러시아인들은 문화국민이다.

7시 조금 지나자 막이 오른다.

조금 보다 보니 발레의 제목도 모른 채 보고 있다.

8시 15분쯤 1막이 끝나자 사람들이 모두 나간다.

웬일인가 했더니 밖으로 나가 2층으로 올라가는 에스컬레이터에서 줄을 선다.

대회 궁전 꼭대기 층

35. 무용수의 속옷까지 훤하게 보이는 지라…….

발레 공연

저게 도대체 뭐하는 짓이여?

목이 마른데 물 파는 데가 없나 여기 저기 둘러보지만, 물 파는 자판기는커녕 매점도 없다.

선물이나 기념품 파는 매점들만 몇 개 있을 뿐이다.

주내가 더듬거리는 러시아말로 물어본다.

"물 파는 데가 없냐?"

"3층에 올라가면 된다."

아하! 그래서 저렇게 줄을 지어 에스컬레이터를 타는구나.

"2막 시작하려면 얼마나 있어야 되는가?"

"15분 정도 남았다."

물이나 한 병 사서 마시자 작정하고 우리도 그 끝에 가서 줄을 선다. 맨 마지막이다.

3층인가 꼭대기 층까지 올라가니 2,500명을 수용할 수 있다는 강당이 있다.

여기에 테이블이 수십 대 놓여 있고, 가판대에서는 빵과 음료수, 술 등을 팔며, 사람들은 이곳에서 산 과자나 빵, 음료수를 테이블에 놓고 서서 먹고 있다.

역시 각 가판대 앞에는 10여 미터 되는 긴 줄이 늘어서 있다.

역시 문화민족 러시아 사람들도 먹는 건 못 말리는구나!

아니, 자판기라도 몇 대 놓으면 이렇게 긴 줄을 안 서도 되지 않을까?

아니면 수도꼭지와 일회용 컵이라도 좀 설치해 놓든지. 참으로 불편하다.

허긴 그러면 장사가 안 될지도 모른다.

36. 가운데가 불룩 튀어나온 게 좀 거시기하다.

2014. 12. 12 금

이 줄, 저 줄 살피다가 제일 짧은 줄이라고 생각되는 곳에 줄을 선다. 여기에서도 제일 끝이다.

15분은 금방 지나간다.

못 알아듣는 러시아말이지만, 구내방송을 하니 사람들이 물밀 듯 빠져나간다.

아마도 2막이 시작될 것이라는 내용의 구내방송인 듯하다.

이제야 우리 차례가 왔는데, 아니 우리 뒤에는 아무도 없으니 제일 마지막인 셈이다.

바실리 성당 설경

크레믈린 망루 설경

물을 찾으니 뭐라 뭐라 한다.

이때 눈에 띄는 것이 한 주먹 분량의 에비앙이라는 물이다.

'에비앙' 외치고 100루블을 내 놓으니, 50루블을 더 내란다.

우리 생각에는 50루블 쯤, 아니 비싸도 7~80루블쯤 하려니 생각하고 100루블을 냈는데, 돈을 더 내라니……. 150루블이면 약 4,000원 돈이다. 되게 비싸네.

주내 한 모금, 나 한 모금 마시니 끝이다. 역시 문화생활하려면 돈이 많아야 한다.

2막을 보면서 생각해보니 '노틀담의 곱추'를 발레로 표현하는 것인 모양이다. 스토리 돌아가는 것이 그러하다.

주인공인 곱추의 열연이 인상적이긴 하다.

36. 가운데가 불룩 튀어나온 게 좀 거시기하다.

여자 주인공 역시 발끝으로 뱅뱅 돌고, 달려가고, 여하튼 고난도 연기를 하는 것임은 분명하다.

그리고 화려한 의상을 입고 무희들이 나와 춤을 추는 모습 또한 볼만하고 아름답기는 하다.

다만 남자 무용수들이 타이트한 팬티스타킹 같은 타이츠를 입고 춤추는 것은 전혀 내 정서에 맞지 않는다.

가운데가 불룩 튀어나온 것 하며, 좀 거시기하다.

다른 의상은 괜찮은데, 왜 저런 걸 입고 춤을 추어야 하는지, 아무리 생각해도 도무지 모르겠다.

결국 2막이 끝나니 10시 가까이 되었다.

밖으로 나와 크레믈린 안의 사원들을 겨냥하고 사진을 찍는다.

발레 공연: 남자 무용수의 옷: 좀 거시기하다.

크레믈린 안의 성당 설경

좀 더 가까이 가서 찍으면 좋으련만, 지키는 사람들이 무섭게 째려보고 있어 그쪽으로 갈 엄두가 안 난다. 허긴 우리 표가 대회 궁전 안의 발레 보는 것에 한정되어 있는 표이니…….

그리고 무엇보다도 빨리 집에 가고 싶다.

사진을 찍고 나폴레옹이 입성했던 문으로 나온다.

전철을 타고 모스크바 역으로 간다. 막 떠나려는 기차에 올라타고 집에 오니 11시 반이다.

36. 가운데가 불룩 튀어나온 게 좀 거시기하다.

37. 작품이 좋으면 알아주는 사람도 있는 법

2014. 12. 14 일

오늘은 나 혼자 집을 나선다.

모스크바 서북쪽에 있는 아르한겔스코예(Arkhangel'skoye)의 궁전을 보기 위해서이다.

눈도 아직 녹지 않았고, 설경이나 찍으리라 길을 나선 것이다.

그런데 오늘 날씨는 영상 5도이다. 서울은 영하 5도라는데…….

세상이 어찌 거꾸로 돌아가는 듯싶다.

영상 5도라서 그런지 눈이 다 녹아버렸다.

모스크바 교외 서북쪽에 있는 아르한겔스코예라는 궁전으로 간다.

아르한겔스코예

왕녀 루이-엘리자베스의 초상

버스, 지하철을 갈아타고 뚜신스카야(Tushinskaya: 보라색 노선)에서 내린다.

책에 있는 대로 549번 버스를 타고 아르한겔스코예 정류장에 내린다.

차비는 55루블이다.

아르한겔스코예는 좌우가 모두 나무로 빽빽하게 들어찬 지역이다.

궁전으로 들어가기 위해 300루블(9,000원)을 낸다. 궁전 내부를 보는 값이다.

일단 궁전으로 들어간다.

궁전 벽은 많이 헐어 있다. 좀 고쳐 놓지 않구! 이를 아름다운 궁전이라고 선전을 하다니…….

궁 안으로 들어가자 덧신을 신고 위층으로 올라간다.

이층은 막혀 있고 3층 방에는 주로 인물화가 걸려 있다.

참 이쁘게도 그려 놓았다.

37. 작품이 좋으면 알아주는 사람도 있는 법

나티에르(Jean-Marc Nattier)의 작품인 '프랑스 왕녀 루이-엘리자베스의 초상'과 그레우즈(Jean-Baptiste Greuze)의 18세기 작품인 '제모를 쓴 소녀(Head of a Girl in a Cap)'는 그 중 백미다.

나티에르와 그레우즈라는 화가는 그림에 문외한인 나로서는 처음 듣는 이름이다.

여기에서 처음 만난 작가들이다.

그러나 그 작품을 보니 정말 뛰어난 화가라 생각한다.

제모를 쓴 소녀

역시 작품이 좋으면 알아주는 사람도 있는 법이다.

이 이외에도 여러 그림이 있으나 사진은 못 찍게 되어 있다.

여기 게시하는 사진은 책에 있는 사진이다.

그 다음

도자기

방에는 옛 전설을 그림으로 나타낸 것들이다.

그림들마다 사연이 있으련만, 그것을 모르는 나는 그냥 대충 지나간다.

얼마나 구도가 잘 잡혀 있고 색깔이 아름답게 조화로운가에 초점을 두고 그림을 감상한다.

옛날 그림들답게 벗은 몸매는 풍성하게 그려져 있다. 요새 젊은이들이 삐쩍 마른 것을 추구하는 것과는 정 반대이다.

이와 같이 미적 기준은 시대에 따라 사회에 따라 다르다.

다시 3층에서 내려와 1층으로 온다.

일층 방은 역시 벽면이 그림으로 차 있고, 도자기들과 생활용구들이 전시되어 있다.

그런데 그림은 프랑스 군대의 그림이다.

37. 작품이 좋으면 알아주는 사람도 있는 법

프랑스 군대 그림

나폴레옹과 조세핀?

옆 벽에는 나폴레옹과 조세핀 그림 같은데, 정확히는 모르겠다. 어쩌면 러시아 군인들 그림일지도 모른다.

러시아가 프랑스를 좋아하기는 하지만—프랑스의 선진 문화 예술을 동경했기 때문에—프랑스 군대, 나폴레옹 군대를 좋아하지는 않을 텐데……. 왜 여기에 프랑스 군대 사진이 걸려 있을꼬?

아마도 1810년 예술품 수집가였던 유스포프 공작이 유럽에서 유명 작품들을 사들였다던데, 그때 사온 것으로 보인다.

그런데 일층은 사진을 찍어도 된다.

사진 찍지 말라는 표시가 전혀 없다. 자유롭게 사진을 찍는다.

그렇다면 사진을 찍을 수 있는 기준은 무엇일까?

아무리 생각해도 잘 모르겠다.

그림

37. 작품이 좋으면 알아주는 사람도 있는 법

침실의 침대

응접실

조각상

침실의 촛대

그 다음 방은 대리석 기둥들이 방 한 가운데에 나란히 있고, 기둥 너머로 푸른색 휘장이 처진 침대가 있다. 침실인 모양이다.

물론 대리석 기둥 앞에는 응접용 푸른 색 의자들이 고아한 자태를 내뿜고 있다.

그 다음 방에는 대리석 조각들이 놓여 있다.

개인지 사자인지 아리송한 조각도 있고, 주로 남녀 조각상이 놓여 있다.

그리고 그 다음 방은 둥그런 방에 정말로 큰 샹들리에가 천정에 매달려 있고, 벽에는 창문과 창문 사이에 감실을 만들어 촛불 조명을 할 수 있도록 만들어 놓은 화려한 응접실 같은 방이다.

37. 작품이 좋으면 알아주는 사람도 있는 법

응접실 천정의 그림

샹들리에가 걸려 있는 방 천정에는 역시 기하학적인 무늬 속에 남녀 둘을 그려 놓은 그림이 눈길을 끈다.

다시 되돌아 나와 이제 밖으로 나간다.

38. 미술학도들은 여름에 와 봐야 할 곳

2014. 12. 14 일

궁전을 돌아 앞면으로 나오니 궁전 앞은 툭 트인 운동장이 하얀 눈으로 덮여 있다.

물론 운동장 있는 곳까지는 거리가 있고 그 사이에는 조그마한 움막집 같은, 어찌 보면 간이 화장실을 지어 놓은 듯한 나무로 만든 조그마한 집들이 수없이 놓여 있다.

이것이 무엇인고?

나중에 알아보니 대리석 조각들이라 한다.

겨울이라서 눈비로부터 보호하기 위해 씌워 놓은 것이라 한다.

아르한겔스코예 정원

아르한겔스코예 성당

이 대리석 조상(彫像)들은 모두 명품일 텐데 볼 수 없어 유감이다.

다행히 어떤 것들은 한 면을 비닐로 만들어 놓아 희미하지만 그 안을 볼 수가 있기는 하다. 또 어떤 것은 유리집을 만들어 놓아 우리가 볼 수 있다.

그런데 거의 대부분은 목조로 만든 집을 씌워 놓아 볼 수가 없다.

정말로 엄청 많다. 숲 사이 길가에도 이런 집들이 있다. 전부 합하면 아마 백 개도 넘을 듯하다.

나야 미술에 문외한이니 집을 씌워 놓지 않아도 그저 그러려니 하며 보겠지만, 조각을 전공하거나 미술에 관심이 많은 사람들은 꼭 이 궁전을 여름에 방문해야 할 것 같다.

특히 조각을 전공으로 하는 분들은 여름에 방문하기 바란다.

궁내 성당의 양파머리

궁전 저쪽 앞에는 두 개의 쌍둥이 건물이 서 있는데, 병원으로 쓰이던 건물과 요양소(sanatorium) 건물이라 한다.

그 앞에는 모스크바 강의 지류가 흐르고 있다.

궁전 왼편으로는 숲이 우거져 있는데, 숲 저쪽으로 가다보면 성당 같은 건물이 나온다. 좌우에 수십 개 기둥들이 도열해 있고 가운데에는 둥그런 돔을 이고 있는 건물이다.

무슨 건물인지는 모르겠다.

그리고 조금 더 가면 밖으로 나가는 또 다른 문이 있다.

이 문을 보고 오른쪽으로는 성스러운 문(Holy Gate)이라는 이름의 문이 있고 그 너머로 자그마한 성당이 있다.

38. 미술학도들은 여름에 와 봐야 할 곳

성당의 꼭대기는 양파머리인데 나무 조각으로 만들어져 있다.

궁 안을 샅샅이 훑으면서 강가로 나아간다.

수북이 눈이 쌓인 강가에는 아이들이 썰매를 타고 논다.

다시 요양소 건물 위로 올라와 되돌아 나온다.

되돌아 나오면서 보니 궁전 오른쪽에 조그마한 감실이 있는 집이 있고, 그 창살 너머로 에카테리나 조각상이 놓여 있다.

에카테리나 여제의 조각은 검은 색 대리석인데, 그렇게 못생긴 것은 아니다.

남자 시종들을 주물럭거리며, 영웅호색이라는 말이 여자에게도 통용되는 데 전혀 지장이 없다는 것을 보여준 천하의 여걸이라는 에카테리나이니, 조각가가 이쁘게 조각을 했

예카테리나 여제

는지는 모르겠지만…….

벌써 2시가 넘었다. 점심시간인 셈이다. 이 안에서는 먹을 데가 없다. 숲만 있고 궁전과 정원만 있으니…….

39. 40루블(약 1,200원)로 모스크바 관광하는 방법

2014. 12. 14 일

밖으로 나와 549번 버스를 기다린다.

다시 뚜신스카야로 나와 지하철역 앞에서 내리니 맥도날드가 눈에 띈다.

점심을 해결하고 지하철을 탄 후, 발리까드니아에(Barrikadnaya)서 지하철을 갈아탄다. 끄라스나쁘레스넨스카야(Krasnopresnenskaya)—어휴 이름도 외우기 힘들다—에서 다시 순환선을 타고 프로스펙트 미라(Prospekt Mira: 주황색 노선)에서 다시 갈아탄다.

갈아타는 지하철역마다 역시 독특하고 아름답다. 역 하나하나가 다

뚜신스카야 역

예술품이다. 정말이다. 인류의 보물이다.

모스크바 관광 와서 돈이 떨어지면 지하철을 타고 역마다 내려 구경을 하고 사진을 찍고 놀면 된다. 차표 한 장만 사면 하루 종일 예술품들을 감상하며 잘 놀 수 있다.

지하철 안에는 매점이 없어 조금 배는 고프겠지만…….

그리고 화장실이 없으니 결국 요것이 문제로다! 요것만 설치해 놓으면, 그야말로 정말 왔다인데…….

차표 한 장에 40루블(1,200원 정도)이다.

물론 한꺼번에 많이 사면 더 싸다. 예컨대, 11장을 사면 320루블이고, 20장을 사면 더 싸고, 40장을 사면 더 더 싸다.

금액은 머리가 나빠 못 외우겠다. 여하튼 훨씬 싸다. 그리고 이 가격

발리까드니아 역

끄라스나쁘레스넨스카야 역

은 2014년 12월 현재 가격이다.

그렇지만 표를 사면 3달 안에 써야 한다. 석 달이 유효기간이다.

이걸 모르고 20장짜리 표를 사서 5장이나 남았다는 것을 분명 기억하는데, 개표기에서 삐 소리가 나며 못 들어가게 하여 당황한 경우가 한 번 있다. 왜 그런가 표를 들고 매표소에 가 물어보니 유효기간이 지나 못쓴다는 것이었다.

어매, 아까운거!

그래서 무식하면 손해다. 알아야 한다.

그러니 모스크바 관광에서는 지하철 표를 자신이 얼마나 탈 것인가를 예측하여 적당한 표를 사면 된다.

그리고 참고로 지하철 표는 밖으로 나왔을 때 트램을 탈 때에도 통

프로스펙트 미라 역

용된다. 버스도 통용되는지는 모르겠다. 안 타봐서.

그렇지만 미니버스는 안 된다. 오로지 현금이다.

또한 지하철 표 한 장이면 땅 속에서는 어디든 갈 수 있다.

가려는 목적지는 지하철 노선표를 보고 갈아타면 된다.

갈아타는 방법은 밑을 보면 된다. 발밑에 나가는 곳과 갈아타는 곳이 표시되어 있다. 아주 간단하다.

지하철 노선을 전화기로 찍은 다음 어떤 색깔로 갈아타야 하나를 염두에 두고 발밑을 살펴보면 된다.

단 출구와 입구가 분리되어 있어 잘못 밖으로 나오게 되어 다시 들어가려면 다시 표를 내야 한다.

조심할지어다!

그리고 잘못 내렸으면 다시 타면 된다.

머리 나쁜 사람들을 위해 지금까지 온 반대편으로 가는 차선이 맞은 편에 항상 대기하고 있다.

지하철 배차 시간도 20초 정도 간격이라서 금방 오고 금방 오고 그런다. 참 편리하게 되어 있다.

그래서 그런지 지하철은 러시아워 때에도 그렇게 붐비지 않는다.

이른바 서 있을 자유가 있는 지하철이다. 서 있고 싶은 자유가 있다는 것은 앉을 수 있는 자유가 있다는 뜻이다.

우리나라처럼 아줌마들이 궁둥이 들이밀고 삐대는 경우는 결코 없다. 안심하시라!

서 있고 싶은 자유를 누릴 수 있는 모스크바 지하철!

프로스펙트 미라 역

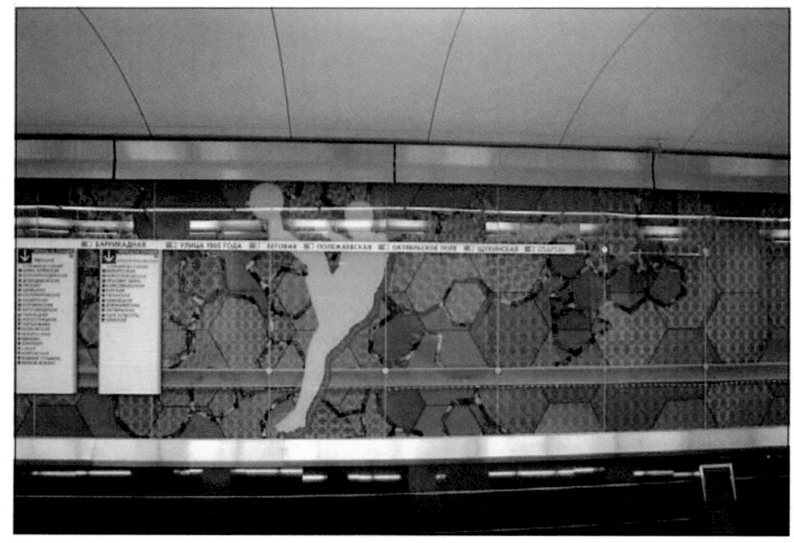

스빠르타크 역

다른 것은 몰라도 대중교통 하나는 잘 되어 있다고 본다.

밖은 러시아워 때 엄청 밀린다. 그걸 생각하면 지하철이 훨씬 편하다. 값도 싸고, 진정 서민을 위한 교통이다.

갑자기 모스크바 지하철 찬양이 되어 버렸다. 다시 본론으로 돌아가자.

지하철은 내리는 곳이나 갈아타는 곳마다 독창적이고 아름다운 예술품이다. 오늘 갈아탄 역들도 그렇다.

오늘 실수로 내렸다 다시 탄 스빠르타크라는 역도 그렇다.

지하철 노선도에는 아직 없는 역이다.

분명히 슈킨스카야 다음 역이 뚜신스카야라고 생각하고 내렸는데 이상하게 내리는 사람이 없다.

39. 40루블(약 1,200원)로 모스크바 관광하는 방법

꼬마만 한 명만 놀고 있을 뿐이다.

물어보니 한 정거장 더 가야 한다는 것이다. 그래서 다시 한 정거장 더 가서 아르한겔스코예로 가는 버스를 탈 수 있었다.

어찌되었든 새로 생긴 이 역은 벽에 올림픽 그림 같은 완전 현대식 그림을 그려놓았다. 볼 만하다.

그러니 모스크바 지하철에는 안전문을 설치하면 안 된다. 이런 예술품들을 감상할 수 없으니까.

여하튼 지하철 역마다 감상할 것들은 많이 있다. 벽면의 그림, 조각, 샹들리에, 천정과 기둥의 모습 등등.

그러니 40루블 주고, 표 한 장 사서 하루 종일 역마다 구경하고 다닌다면, 러시아 예술의 정수를 구경하는 것이 된다.

그리고 탔던 역으로 되돌아가 나오면 된다.

돈 없는 분들에게 정말로 권하고 싶은 관광 방법이다.

여기에도 문제가 없는 것은 아니다.

화장실과 배고픔을 꾹 참는다 하더라도 이 많은 지하철역을 다 볼 수는 없다는 것이다.

이를 볼 때, 문제가 없는 것은 없다.

그렇지만 또 해결 방법이 전혀 없는 문제 역시 없다. 예컨대, 이 경우 다음날 다시 40루블짜리 표를 사면 되지 않을까?

40루블이 없다구?

그럼 일을 해야지! 아님, 성당 앞에 가 손 내밀고 있던가!

40. 맘에 안 들어 부수고 다시 지은 궁전

2014. 12. 21 일

오늘은 러시아 관광 마지막 날이다. 내일 모레 글피면 귀국해야 하기 때문이다.

그 동안 별러 왔던 짜리쯔이노 영지로 간다.

짜리쯔이노(Tsaritsyno)는 '여제의 마을'이라는 뜻이란다. 러시아의 여걸 예카테리나 2세가 자기가 살 궁전을 지으라고 명령한 곳이라서 붙은 이름이다.

당시의 위대한 건축가로 칭송되던 바실리 바줴노프가 건물을 설계하고 짓기 시작했는데, 예카테리나가 마음에 안 든다고 다 무너뜨리고 다

짜리쯔이노: 공원 문

시 지으라 했다고 한다.

그래서 이번에는 미하일 카자코프가 바쉐노프의 공법으로 이 궁전을 완성하였으나, 이미 이때에는 예카테리나가 저 세상으로 간 후였다 한다.

결국 자기를 위하여 짓고 부수고 다시 지었으나, 자기는 살아보지 못하고, 전혀 관련이 없는 우리들이 구경할 수 있는 혜택을 누리게 된 것이다.

욕심을 부려 무엇인가를 이루어 놓아도, 그렇게 이루어놓은 것은 결국 다른 사람 차지가 되어 버린다!

흔히 볼 수 있듯이, 아버지가 돈을 열심히 벌어 놓으면 써보지도 못하고 죽고, 아들이 펑펑 써버리며 탕진해 버리는 이치와 같다.

지하철을 타고 짜리쯔이노 역에 내린다.

역에서 내려 궁전을 물어 가는 길은 완전 빈민굴 비슷하다.

이런 곳에 궁전이 있다고?

굴다리 밑을 지나 길을 건너 나아가니 큰 길 건너편으로 커다란 문이 보이고 문 옆 저쪽으로 붉은 색 큰 건물이 보인다. 잘못 온 건 아니다.

큰 문으로 사람들이 들어간다.

그런데 표 사는 데가 없다. 아마 안에 있는 모양이다.

문으로 들어가 보니 정말 넓은 공원이다.

저 앞으로는 호수인지 강인지는 모르겠으나, 물이 있고, 가운데에 큰 천막을 친 것 같은 건물이 있다.

천막 위로 보이는 산등성이에는 푸른 색깔의 건물들이 있다.

일단 호수를 건너가 보자. 의문의 큰 천막으로 향해 나아간다. 천막

짜리쯔이노 공원

짜리쯔이노: 사진 모델

40. 맘에 안 들어 부수고 다시 지은 궁전

이쪽저쪽으로는 다리가 놓여 있다.

그렇지만 천막은 그 속을 보여주지 않는다.

이 사람, 저 사람 붙들고 물어보나 시원한 대답은 들을 수 없다. 러시아어를 못 알아듣기 때문이다.

사진기를 든 일단의 사람들이 사진을 찍는다.

다리 위에 있는 젊은 처자에게도 물어 본다.

역시 대답은 시원치 않다.

많은 오리들이 놀고 있는 다리를 건너 천막 건너편으로 올라간다.

올라가며 보니 조금 전에 물어보았던 처녀가 호숫가에서 폼을 잡고 서 있고, 많은 사람들이 사진을 찍고 있다.

아마 무슨 사진 콘테스트가 있는 모양이다.

짜리쯔이노: 다리

알고 보니 물어보았던 그 아가씨는 사진 모델이다. 예쁘긴 하지만 크게 눈에 띌 정도로 예쁜 것은 아닌데…….

모델이 이뻐야 한다는 선입견 때문에 이런 생각이 드는 것일 게다.

세상이 다 그렇다. 세상을 보는 눈이나 사람을 보는 눈은 그저 자기 생각을 덧입혀 "000일 것이다."라는 전제 하에 보는 경우가 대부분이다.

아무리 객관적으로 보려 해도 객관적일 수가 없는 것이다. 그래서 객관이라는 말 대신에 사회과학에서는 주관의 일치에 따른 간주관(inter-subjectivity)이라는 말을 쓰기도 하는 것이다.

어찌되었든, 나도 한 컷 찍는다.

40. 맘에 안 들어 부수고 다시 지은 궁전

41. 준비된 자에게만 기회가 온다.

2014. 12. 21 일

그리고는 언덕을 오른다.

언덕위로 오르는데, 다람쥐가 사람을 무서워하지 않는다.

사람 옆으로 오다가 나무로 쪼르륵 올라가더니, 가지 끝으로 와 사람 팔에 올라와서는 손바닥에 놓인 먹이를 잡아채고는 얼른 다시 나뭇가지를 탄다.

다람쥐

사진에 담으려 했으나, 렌즈 뚜껑을 열고 사진기를 들이미는 사이에 어느 새 저쪽으로 가버린 후다.

미리 준비를 했어야 하는데…….

준비된 자만

다람쥐

궁전 안 다리

41. 준비된 자에게만 기회가 온다.

궁전 안 성당

이 기회를 잡을 수 있다더니…….

다람쥐에 대한 미련을 버리고, 푸른색의 긴 건물 쪽으로 간다.

언덕 위쪽에는 여러 채의 붉은 색 건물들이 있고, 붉은 색의 큰 다리도 있다.

왼쪽 옆으로는 성당이 있다. 성당 앞에는 손 내미는 걸인이 있고.

성당을 구경하고 성당 뒤로 돌아간다.

붉은 색 다리를 사진에 넣고 궁전 앞 붉은 색 건물도 사진에 넣는다.

그 앞으로는 언덕 위를 가로지르는 긴 건물이 있다.

아까 이 공원에 들어오면서 본 붉은색 벽돌로 된, 지붕은 푸른색인 건물이다. 길쭉한 이것이 궁전인 모양이다.

긴 건물 한쪽 편에 있는 문으로 들어가니 유리로 된 건물이 있다.

사람들이 그 곳으로 들어간다. 덩달아 따라 들어간다.

문 앞 검색대에는 순경이 지키고 서 있다.

검색대를 통과하여 에스컬레이터를 타고 지하로 내려간다.

지하에는 옷 걸어 보관하는 곳, 그리고 표 파는 곳과 간단한 차와 빵 등을 파는 가게가 있다.

이 유리 건물 지하에서 박물관으로 쓰이는 짜리쯔이노 궁전과 부속 건물로 들어가도록 되어 있다.

일단 표를 사러 가자 돈을 받지 않으면서 표를 준다.

어리둥절하여 물어보니 뭐라 뭐라 하는데 무슨 말인지 모른다. 짐작하건대, 아마 일요일이라서 공짜인 모양이다.

궁전 입구

41. 준비된 자에게만 기회가 온다.

짜리쯔이노 궁전

어찌되었든 감사한다.

입장료가 350루블이니 700루블이 절약된 셈이다.

게다가 사진 찍는 것도 돈을 안 받는다.

이럴 수가! 횡재를 한 기분이다.

이런 건 우리도 배워야 하는데…….

일단 옷을 벗어 보관소에 맡긴다.

그리고는 신 위에 비닐로 된 덧신을 신고 궁전 안으로 들어간다.

42. 죽어서도 궁전의 주인은 예카테리나 여제

2014. 12. 21 일

예카테리나 여제가 지으라고 한 궁전이어서 그런지 예카테리나와 관련된 유물들이 많이 전시되어 있다.

여기도 예카테리나, 저기도 예카테리나, 방마다 거의 예카테리나 여제의 초상화나 조각 등이 보인다.

덕분에 그 유명한 예카테리나의 얼굴이 아직도 생생하다. 별로 예쁜 얼굴은 아니지만.

죽어서도 이 궁전의 임자가 되긴 된 모양이다.

예카테리나 2세 흉상

예카테리나 2세 흉상

예카테리나 2세의 옷

예카테리나가 입던 옷도 있고, 옆에서 시중들던 쫄따구들이 입던 옷도 있다.

사용하던 그릇과 포크, 주전자, 잔, 시계, 의자 따위의 물건들이 전시되어 있다.

이런 물건들은 여제가 쓰는 것이어서 그런지 화려하고도 우아하다.

또한 이 궁전을 짓기 위한 조감도와 바줴노프와 카자코프의 설계도와 그림 따위가 진열되어 있다.

살아서는 이 궁전을 쓰지 못하고, 죽은 후에야 이 궁전의 주인이 된 것이다.

역시 예카테리나 여제(1729.5.2 ~ 1796.11.17)는 대단한 인물이다.

독일 출신으로 14세에 러시아로 시집와 시종들을 부추겨 쿠데타를

예카테리나 2세가 쓰던 그릇

예카테리나 2세가 쓰던 물건

42. 죽어서도 궁전의 주인은 예카테리나 여제

일으켜 못난이 남편인 표토르 3세를 옥에 가두고, 정권을 잡은 인물이다.

가엾은 표토르는 옥에 가친지 8일 만에 술만 마시다 죽었다는데, 쿠데타의 주역이었던 예카테리나의 시종무관이자 정부였던 그레고리 오를레프의 동생인 알렉세이 오를레프에 의해 암살되었다고 알려졌다.

후에 이 알렉세이 오를레프 역시 예카테리나의 정부로 봉사하였다 한다.

참으로 "형제는 용감(?)하였다."고 해야 하나, 뭐라고 해야 하나?

예카테리나는 정권만 잡은 것이 아니다.

시종들을 데리고 쾌락을 즐기는 데에도 일가견이 있었던 모양이다.

예카테리나 2세와 시종

예카테리나 2세는 독일 태생이었음에도 불구하고 한증 목욕탕인 바냐를 매우 좋아했는데, 당시 사람들의 말에 따르면, 여제는 혼자가 아니라 총신들

예카테리나 2세 초상

과 함께하는 한증막을 선호했고, 더 나아가 바냐에서 먹고 마시는 것도 즐겼다고 한다.

예카테리나는 남편이 살아 있는 동안에도 적어도 3명의 정부를 두었다고 알려져 있다.

예카테리나가 낳은 3명의 아이도 남편과의 관계에서 태어난 아이가 아니라고 한다.

이는 내가 주장하는 것이 아니다. 예카테리나 자신이 쓴 노트에 그렇게 나와 있다고 한다.

일설에는 남편인 표토르 3세가 알콜 중독자이자 성불구자였다는 말이 있다. 또한, 예카테리나와는 성격이 맞지 않고 무능했으며, 특히 정치적 성향이 맞지 않았다고 한다.

43. 데리고 잔 남자들이 300명이 넘는다고?

2014. 12. 21 일

1762년 1월 표토르 대제의 딸인 엘리자베타 여제가 죽고 표토르 3세가 왕위를 계승하였으나, 예카테리나는 그해 7월 그녀의 정부인 그레고리 오를레프와 함께 쿠데타를 일으켜 32살에 여제가 되어 67세에 뇌경색으로 죽었다.

예카테리나가 42살이던 해인 1774년에는 투르크와의 전쟁에서 승리한 포템킨을 정부로 삼았고, 그 이전의 정부들과는 달리 포템킨은 예카테리나의 존경과 사랑을 받아 하급 귀족에서 일약 대신의 지위에 이르러 권력을 향유하였다고 한다.

예카테리나 2세의 시종들

예카테리나 2세와 시종

그 당시 예카테리나는 개인적 쾌락과 국정을 엄격하게 구분할 줄 아는 지혜를 가진 여인으로 칭송되었다는데, 그 예외가 포템킨이라 한다.

이를 볼 때 포템킨은 능력이 출중하였던 모양이다.

예카테리나와의 관계는 2년으로 끝났으나, 죽을 때까지 막강한 권력을 향유하고 여제와 동등한 대우를 받았다 한다.

그렇지만 포템킨 역시 죽을 때까지 예카테리나에게만은 철저히 충성을 다하였다 한다.

예카테리나 여제는 능력에 따라 사람들을 등용하였다고 하며, 데리고 잔 전직 정부(情夫)들을 관리하는 데 아주 유능했던 여자이다.

사실상의 남편으로 알려진 포템킨과의 관계가 끝 난 후에도 예카테리나의 공식적인 애인이 적어도 12번은 바뀌었다고 한다.

43. 데리고 잔 남자들이 300명이 넘는다고?

67세에 뇌경색으로 예기치 않은 죽음을 맞을 때에도 나이가 젊은 정부들을 두고 있었다 한다.

예카테리나에게 간택된 남자의 조건은 잘 생기고, 신분이 낮은 젊은 남자였다고 한다.

이런 저런 점을 볼 때, 예카테리나는 가히 용인술의 대가로 불려도 전혀 손색이 없는 여인이다.

한편, 이러한 용인술을 바탕으로 예카테리나는 재위 기간 동안 러시아의 영토를 확장하고, 행정을 정비하고, 문화를 창달함으로써 러시아 귀족들과 국민들의 열렬한 지지를 받았다 한다.

예카테리나 2세의 시종

예카테리나는 현실적으로 다른 무엇보다도 권력에 집착했지만, 서로 함께 사랑

예카테리나 2세의 시종

을 나누는 쾌락을 끊임없이 희구한 여인이며, 권력과 쾌락을 죽을 때까지 누린 복(?) 많은 여인인 셈이다.

일설에 의하면, 예카테리나가 같이 잔 남자가 3백 명이 넘는다 한다.

그녀의 양 옆에는 남자의 체력을 시험하는 역할을 하는 여자 둘이 배치되어 있었다고 한다.

한편, 예카테리나의 남성 편력을 공격하는 정적들에게는 군주가 후궁을 두는 것과 마찬가지로 자신이 남자 후궁을 두었다고 주장하였다 한다.

참 대단한 여자이다.

아마도 성 에너지는 권력과 쾌락의 원천인 모양이다. 허긴 성(性)이

원활해야 의욕도 생기고 일도 잘 하는 것 아닐까?

그래서 영웅호색(英雄好色)이라는 말이 나온 건 아닐까?

어찌되었든 짜리쯔이노 궁전은 예카테리나의 마음에 안 들어 부수고 다시 지었지만 살아서는 들어가 살지 못하고, 죽은 후에야 궁전의 임자가 된 셈이다. 예카테리나의 유물들을 전시하는 박물관이 되었기에!

44. 표토르 3세의 초상

2014. 12. 21 일

사진을 돈도 안 내고 마음대로 찍을 수 있다고 하나, 돈을 안 받으니 찍기가 싫다.

거 참, 묘한 게 마음이다.

궁전 연회장의 황금 빛 기둥

못 찍게 하면 찍고 싶고, 찍어도 좋다하면 찍기 싫고!

여하튼 원 없이 찍기는 했다.

이 방, 저 방 돌아다니는데 워낙 궁전이 커서 다리가 아프다.

궁전의 연회장으로 쓰이던 방에 들어가니 화려하기가 이를 데 없다.

넓은 홀의 기둥들은 황금빛으

궁전 연회장의 샹들리에

궁전 연회장으로 쓰인 방

궁전 연회장: 러시아 전통춤

로 빛나고, 천정에는 여러 개의 화려한 샹들리에가 달려 있다.

너무나 아름답고 호화롭다.

죽은 예카테리나가 이런 호화로운 방을 본다면 아깝고 안타까워 또 다시 죽을 일이다.

방에서는 러시아 청춘남녀들이 러시아의 전통춤을 추고 있다. 아마 관광객들을 위한 행사인 모양이다.

방 저쪽에는 역시 예카테리나의 동상이 서 있다.

이 궁전의 주인이니 동상이 되어 마땅히 제 자리를 지키는 것이리라.

한참 동안 러시아의 민속무용을 감상한 후 다음 방으로 간다.

역시 그 다음 방에도 예카테리나의 초상화들이 걸려 있다.

남편인 표토르 3세의 초상화는 찾아보려고 애를 썼으나 찾아내기가 어렵다.

거의 대부분이 예카테리나이고, 그 시종들과 관련된 초상화이다.

적어도 이 궁전에서 표토르 3세의 초상화는 찾아보기 힘든 희귀한 희귀종인 셈이다.

그렇지만 무지무지한 노력과 각고 끝에 결국 표토르 3세의 초상화를 찾아내었다.

방마다 앉아서 관람객들을 감시하던 할머니들과 아주머니들에게 물어보니 틀림없다. 표토르 3세의 초상화이다.

예카테리나 2세 동상

표토르 3세의 초상을 보면, 정말 못 생겼다.

사람의 평가 기준에 따라 다르겠지만, 요즈음 말하는 꽃미남형은 물론 아니고, 훈남이나 호남형

예카테리나 2세의 남편 표토르 3세

도 분명 아니다.

우선 생김새부터가 예카테리나의 마음에 안 들었을 것이다.

게다가 성질 괴팍하지, 성적으로 무능하지, 머리도 나쁘지, 정치적으로 적대 관계에 있던 프러시아의 프레드리히 2세를 존경하고 있지, 마음에 드는 것이 정말 열에 하나도 없었을 것이다.

이러한 남편에 대해서는 예카테리나뿐만 아니라 러시아 귀족과 국민들도 별로 좋아하지 아니하였다 한다.

예카테리나는 이런 점을 간파하고, 루터교에서 러시아정교로 개종하는 등 친러 성향을 보임으로써 귀족들과 백성들의 마음을 얻어 쿠데타를 성공시킨 것이리라.

44. 표토르 3세의 초상

45. 현대 미술 감상 I

2014. 12. 21 일

이 궁전의 지하에서부터 1층, 2층, 3층을 다 둘러보자니 정말 다리가 아프다.

처음 본 것들은 예카테리나 2세와 관련된 것들이었으나, 2층인가로 올라가니 정말 박물관이라는 이름에 걸맞게 미술품들이 진열되어 있다.

미술엔 문외한인 내가 이런 호사를 누릴 줄이야!

많은 그림들 가운데 마음에 드는 것만 골라 사진기에 넣는다.

사진 찍는 것이 비록 공짜이지만, 이 많은 것을 일일이 다 찍을 수는 없는 것이고, 그렇다고 누가 유명한 화가인지도 모르니까 그냥 내 보

짜리쯔이노: 현대미술품

짜리쯔이노: 현대미술품

기에 좋은 그림들을 찍는 것이다.

여기에는 찍은 사진 중에 몇 점을 올려놓는다.

워낙 그림에는 문외한이기도 하고, 잘 모르기 때문에 해설은 할 수가 없고, 그냥 독자들이 알아서 감상하기 바란다.

사실 누구 누구가 언제 그린 그림이고, 어쩌구 저쩌구 하게 되면, 오히려 순수하게 그림을 감상하는 데 방해가 될 지도 모른다.

올려놓는 건 내가 좋아서 올려놓는 것이지만, 감상하는 건 철저히 읽는 이들의 몫인 셈이다.

이 가운데 어떤 것은 작가의 이름과 함께 작품을 한 연도 따위가 표시되어 있기도 하지만, 대부분은 그런 것 없이 올려놓는다.

짜리쯔이노: 현대미술품

짜리쯔이노 현대미술품: 블라디미르비치(1989-1990)

짜리쯔이노 현대미술품

사실은 직접 와서 보아야 할 것이지만, 그게 어디 쉬운 일인가!

일단 미술이나 그림에 관심이 있는 분들은 여기에서 그냥 맛을 보시고, 머리를 식히시라.

그리고 흥미가 있다면, 짜리쯔이노를 방문하시기 바란다.

지면이 짧아서 그렇지, 정말 좋은 그림들, 좋은 작품들이 많다.

지금까지 돌아본 예카테리나 관련 물품들과는 전혀 색다른 맛이다.

창밖으로는 궁전 밖의 성당 풍경, 궁전의 붉은 벽 등과 우리가 들어온 유리로 된 건물 따위가 보인다.

46. 현대 미술 감상 II

2014. 12. 21 일

눈요기는 잘 했으나, 다리도 아프고 배도 고프다.

일단 배부터 불려야 한다.

화려한 궁궐을 3층까지 샅샅이 훑어보았으니 이제 무엇인가를 먹어야 한다.

궁궐을 나와 지하의 옷 보관소에서 옷을 찾아 옷을 입는다.

그리고 나가려 하다 생각하니 작은 궁전을 아직 안 보았다는 생각이 든다.

아까 이쪽으로 오다 보니 저쪽으로 가는 길도 있던데…….

밖으로 나가 KFC 튀김닭이라도 먹으려는 생각을 바꾼다.

옷 보관소 맞은편의 카페로 간다.

파는 것은 단순하다 빵 몇 조각과 음료수를 시킨다.

짜리쯔이노 현대미술품: 알렉산드로브나(1988)

짜리쯔이노: 유리 공예

짜리쯔이노: 유리 공예

오늘 공짜로 궁전 내부를 감상하였으니, 실컷 먹어도 된다. 그렇지만 빵은 너무 달아 많이 먹지 못한다.

그리고는 맞은편의 문으로 나간다.

나가니 표를 보자고 한다.

표를 보여주니, 옷을 벗어 맡기고 오라 한다.

다시 옷을 벗어 맡기고, 작은 궁전으로 들어선다.

또 다른 방에는 유리 공예품들이 진열되어 있다.

그 다음 방에는 자수로 된 작품들이 있고, 도자기 작품들도 있다.

모두 예카테리나와는 관련 없는 현대의 것들이다.

한 동안 예카테리나가 살던 18세기로 돌아갔었으나, 이제는 다시 현

짜리쯔이노: 자수

짜리쯔이노: 현대 미술

대로 돌아와 미술품들을 감상하는 것이다.

다시 또 다른 방에는 또 다른 현대 미술 작품들이 있다.

일일이 이들을 소개할만한 지식이 없음이 통탄스럽긴 하다.

그렇지만 이들을 구경하기는 할 만하다. 다리만 아프지 않다면…….

그리고 오늘에서야 왜 미술관엘 가야 하는지를 알았다. 비록 미술에 대한 지식이 전혀 없더라도 그것을 즐길 수는 있는 것이다.

하루 종일 구경하였지만, 정말로 고백하건대 주마간산격이었다.

뭘 알아야 보인다고 했는데, 전혀 까막눈이면서 그저 보기 좋은 것만 고르고 골라 감상한 것이다.

짜리쯔이노: 도자기 짜리쯔이노: 그림

짜리쯔이노 큰 궁전의 복도

짜리쯔이노 큰 궁전의 야경

46. 현대미술 감상 II

짜리쯔이노 큰 궁전의 야경

그렇지만 이런 호사를 누릴 수 있음에 감사한다.

작은 궁전을 나오니 벌써 날은 어둑어둑해졌다.

짜리쯔이노 궁전의 야경 사진을 찍고는 짜리쯔이노 역과는 반대편 역인 아레호바 역을 물어물어 찾아간다.

그리고는 숙소로 돌아온다.

후기

2014. 12. 24 수

러시아 유배(?) 생활을 끝내고 귀국한 날은 크리스마스 이브이다.

내일이면 집에 도착한다.

귀국 날짜를 크리스마스 날로 잡은 이유는 다른 이유가 없다. 비행기값이 싸기 때문이다.

크리스마스 날인 오늘 모스크바 세르메쩨보 공항에서 저녁 비행기를 타야 한다.

그런데, 크리스마스 이브인데도 별로 크리스마스 기분이 나지 않는다.

귀국 인사를 하러 간 나타샤에게 물어보니, 러시아정교회에서는 크리스마스를 음력으로 쇤다고 한다. 우리식의 음력이 아니라, 율리우스력이라던가?

그래서 12월 24일 크리스마스 이브나 25일 크리스마스 날도 이곳 러시아에서는 그저 평범할 뿐이다.

그 대신 1월 1일부터 한 열흘 동안은 거의 축제 기간이라고 한다. 푹 쉬는 날이라 한다.

어찌되었든 오전에 인사를 하고 숙소로 돌아와 짐을 싸고, 간단하게 라면으로 점심을 때운 다음 택시를 타고 따라솝스카야 역으로 가 기차를 탄다. 그리고는 세르메쩨보 공항으로 간다.

비행기를 탄다. 러시아 비행기이다.

비행기에서 하루를 보낸 다음 블라디보스토크에 도착한다.

여기에서 5시간 정도를 기다린 다음 부산으로 가는 비행기를 갈아탄다.

그리고 부산이다.

우리나라가 좋기는 좋다. 무엇보다 해도 나고, 친구들이 있고, 먹을 것 많고, 맛있고…….

이제 실컷 우리 음식을 먹어야겠다.

〈러시아 여행기 3부: 모스크바〉 끝

책 소개

* 여기 소개하는 책들은 **주문형 도서(pod: publish on demand)** 이므로 시중 서점에는 없습니다. 교보문고나 부크크에 인터넷으로 주문하시면 4-5일 걸려 배송됩니다.

http//pubple.kyobobook.co.kr/ 참조.

http://www.bookk.co.kr/store/newCart 참조.

여행기

〈러시아 여행기 1부: 아시아 편〉 시베리아를 횡단하며. 부크크. 2019. 국판 칼라. 296쪽. 19,440원.

〈러시아 여행기 2부: 쌍 뻬쩨르부르그 / 황금의 고리〉 문화와 예술의 향기. 부크크. 2019. 국판 칼라. 264쪽. 19,500원.

〈러시아 여행기 3부: 모스크바〉 동화 속의 아름다움을 꿈꾸며. 부크크. 2019. 국판 칼라.

〈마다가스카르 여행기〉 왜 거꾸로 서 있니? 부크크. 2019. 국판(칼라) 276쪽. 21,300원.

〈유럽여행기 1: 서부 유럽 편〉 몇 개국 도셨어요? 교보문고 퍼플. 2017. 국판 217쪽. 10,400원.

〈유럽여행기 2: 북유럽 편〉 지나가는 것은 무엇이든 추억이 되는 거야 교보문고 퍼플. 2017. 국판 213쪽. 9,100원.

〈북유럽 여행기: 스웨덴-노르웨이〉 세계에서 제일 아름다운 곳. 교보문고 퍼플. 2017. 국판 219쪽. 10,300원.

〈동유럽 여행기: 눈꽃 여행〉 집착이 삶의 무게라고. 교보문고 퍼플. 2017. 국판 253쪽. 11,600원.

〈포르투갈 스페인 여행기〉 이제는 고생 끝. 하느님께서 짐을 벗겨 주셨노라! 교보문고 퍼플. 2017. 국판 180쪽. 8,100원

〈미국 여행기 1: 샌프란시스코, 라센, 옐로우스톤, 그랜드 캐년, 데스 밸리, 하와이〉 허! 참, 이상한 나라여! 교보문고 퍼플. 2017. 국판 303쪽. 11,800원.

〈미국 여행기 2: 캘리포니아, 네바다, 유타, 아리조나, 오레곤, 워싱턴〉 보면 볼수록 신기한 나라! 교보문고 퍼플. 2018. 국판 258쪽. 10,400원.

〈미국 여행기 3: 미국 동부, 남부. 중부, 캐나다 오타와 주〉 그리움을 찾아서. 교보문고 퍼플. 2018. 국판 261쪽. 10,500원.

〈멕시코 기행〉 마야를 찾아서. 교보문고 퍼플. 2017. 국판 248쪽. 10,200원.

〈페루 기행〉 잉카를 찾아서. 교보문고 퍼플. 2017. 국판 216쪽. 9,200원.

〈일본 여행기〉 별 거 없다데스!. 교보문고 퍼플. 2019. 국판 320쪽. 11,500원

〈중국 여행기 1: 북경, 장가계, 상해, 항주〉 크다고 기 죽어? 교보문고 퍼플. 2017. 국판 211쪽. 9,000원.

〈중국 여행기 2: 계림, 서안, 화산, 황산, 항주〉 신선이 살던 곳. 교보문고 퍼플. 2017. 국판 304쪽. 11,800원.

〈타이완 여행기〉 자연이 만든 보물. 교보문고 퍼플. 2018. 국판 294쪽. 11,500원.

〈베트남 여행기〉 천하의 절경이로구나! 교보문고 퍼플. 2019. 국판 210쪽. 8,600원.

〈태국 여행기: 푸켓, 치앙마이, 치앙라이〉 깨달음은 상투의 길이에 비례한다. 교보문고 퍼플. 2018. 국판 202쪽. 10,000원.

〈동남아 여행기 1: 미얀마〉 벗으라면 벗겠어요. 교보문고 퍼플. 2018. 국판 302쪽. 11,800원.

〈동남아 여행기 2: 태국〉 이러다 성불하겠다. 교보문고 퍼플. 2018. 국판 212쪽. 9,000원.

〈동남아 여행기 3: 라오스, 싱가포르, 조호바루〉 도가니와 족발. 교보문고 퍼플. 2018. 국판 244쪽. 11,300원.

〈인도네시아 기행〉 신(神)들의 나라. 부크크. 2019. 국판(칼라) 132쪽. 12,000원.

〈중앙아시아 여행기 1: 카자흐스탄, 키르기스스탄〉 천산이 품은 그림. 교보문고 퍼플. 2019. 국판 301쪽. 11,700원.

〈조지아, 아르메니아 여행기 1〉 코카사스의 보물을 찾아 1. 교보문고 퍼플. 2019. 국판 245쪽. 10,100원

〈조지아, 아르메니아 여행기 2〉 코카사스의 보물을 찾아 2. 교보문고 퍼플. 2019. 국판 224쪽. 9,400원.

〈터키 여행기 1〉 허망을 일깨우고. 교보문고 퍼플. 2017. 국판 235쪽. 9,700원.

〈터키 여행기 2〉 잊혀버린 세월을 찾아서. 교보문고 퍼플. 2017. 국판 254쪽. 10,200원.

〈시리아 요르단 이집트 기행〉 사막을 경험하면 낙타 코가 된다. 부크크. 국판 268쪽. 14,600원.

우리말 관련 사전 및 에세이

〈우리 뿌리말 사전: 말과 뜻의 가지치기〉. 개정판. 교보문고 퍼플. 2016. 국배판 729쪽. 49,900원.

〈우리말의 뿌리를 찾아서 1〉 코리아는 호랑이의 나라. 교보문고 퍼플. 2016. 국판 240쪽. 11,400원.

〈우리말의 뿌리를 찾아서 1〉 코리아는 호랑이의 나라. e퍼플. 2019. 전자출판 247쪽. 4,000원.

〈우리말의 뿌리를 찾아서 2〉 아내는 해와 같이 높은 사람. 교보문고 퍼플. 2016. 국판 234쪽. 11,100원.

〈우리말의 뿌리를 찾아서 3〉 안데스에도 가락국이……. 교보문고 퍼플. 2017. 국판 239쪽. 11,400원.

수필: 삶의 지혜 시리즈

〈삶의 지혜 1〉 근원(根源): 앎과 삶을 위한 에세이. 교보문고 퍼플. 2017. 국판 249쪽. 10,100원.

〈삶의 지혜 2〉 아름다운 세상, 추한 세상 어느 세상에 살고 싶은가요? 교보문고 퍼플. 2017. 국판 251쪽. 10,100원.

〈삶의 지혜 3〉 정치와 정책. 교보문고. 퍼플. 2018. 국판 296쪽. 11,500원.

〈삶의 지혜 4〉 미국의 문화, 교보문고 퍼플. 근간.

전자출판

〈타이완 일주기〉 자연이 만든 보물 1. 부크크. 2019. 전자출판 2,000원.

〈타이완 일주기〉 자연이 만든 보물 2. 부크크. 2019. 전자출판 1,500원.

〈조지아, 아르메니아 여행기 1〉 코카사스의 보물을 찾아 1. 부크크. 2019. 전자출판 2,000원.

〈조지아, 아르메니아 여행기 2〉 코카사스의 보물을 찾아 2. 부크크. 2019. 전자출판 2,000원.

〈조지아, 아르메니아 여행기 3〉 코카사스의 보물을 찾아 3. 부크크. 2019. 전자출판 2,000원.

〈중앙아시아 여행기 1: 카자흐스탄, 키르기스스탄〉 천산이 품은 그림 1. 부크크. 2019. 전자출판 2,000원.

〈중앙아시아 여행기 2: 카자흐스탄, 키르기스스탄〉 천산이 품은 그림 2. 부크크. 2019. 전자출판 2,000원.

〈일본 여행기 1: 대마도, 규슈〉 별 거 없다데스!. 부크크. 2019. 전자출판 2,000원.

〈일본 여행기 2: 오사카 교토, 나라〉 별 거 있다데스!. 부크크. 2019. 전자출판 2,000원.

〈인도네시아 기행〉 신(神)들의 나라. 부크크. 2019. 전자출판. 2,000원.

〈중국 여행기 1: 북경, 장가계, 상해, 항주〉 크다고 기 죽어? 부크크. 2019. 전자출판. 2,000원.

〈중국 여행기 2: 계림, 서안, 화산, 황산, 항주〉 신선이 살던 곳. 부크크. 2019. 전자출판. 2,000원.

〈동남아 여행기 1: 미얀마〉 벗으라면 벗겠어요. 부크크. 2019. 전자출판. 2,000원.

〈동남아 여행기 2: 태국〉 이러다 성불하겠다. 부크크. 2019. 전자출판. 2,000원.

〈동남아 여행기 3: 라오스, 싱가포르, 조호바루〉 도가니와 족발. 부크크. 2019. 전자출판. 2,000원.

〈태국 여행기: 푸켓, 치앙마이, 치앙라이〉 깨달음은 상투의 길이에 비례한다. 부크크. 2019. 전자출판. 2,000원.

지은이 소개

- 송근원

- 대전 출생

- 여행을 좋아하며 우리말과 우리 민속에 남다른 애정을 가지고 있음.

- e-mail: gwsong51@gmail.com

- 저서: 세계 각국의 여행기와 수필 및 전문서적이 있음